Saliendo de la Deuda

Gozosamente

por Simone Milasas

Saliendo de la Deuda *Gozosamente*

ISBN: 978-1-63493-140-3

Publicado por
Access Consciousness Publishing, LLC
www.accessconsciousnesspublishing.com

Impreso en los Estados Unidos de América

Facilidad, Gozo y Gloria

PRECAUCIÓN

Esto puede cambiar por completo tu realidad financiera.

Gratitud

Gracias a todas las personas que he conocido en el planeta y a todos los que aún estoy por conocer.

Gary y Dain - por las maravillosas herramientas de Access Consciousness® que cambian la vida y por su amistad y por empoderarme a saber que cualquier cosa es posible.

Justine mi agente de Relaciones Públicas - por siempre decirme cuando las cosas no están siendo tan estupendas, "¡no te preocupes, sólo es un buen boceto!"

Moira - por cambiar mis paradigmas cuando me preguntaste "¿Por qué no puedes tener una casa en Brisbane en la Costa del Sol?"

Brendon - por ser mi compañero de deleite, una inspiración diaria, por siempre verme y por ser el director financiero de lo que hemos estado creando juntos.

Rebecca, Amanda & Marnie – no pude haber creado esto sin su asistencia. Gracias a USTEDES.

El Gozo de los Negocios y Access Consciousness – ¡gracias por respaldarme y por ser tan increíblemente creativos y por ser tan divertido jugar/trabajar con ustedes!

Steve y Chutisa – ¡gracias por todo nuestro tiempo de creación de Finanzas 101 juntos!

Chris, Chutisa, Steve, Brendon, Gary y Dain – gracias por sus historias de cambio que le muestran a las personas que siempre hay una posibilidad diferente.

No te rindas. No renuncies. Sigue creando y RECONOCE que cualquier cosa es posible.

www.gettingoutofdebtjoyfully.com

Prefacio

Tenía $187,000 dólares de deuda antes de que estuve dispuesta a cambiar mi realidad financiera. Eso es mucho dinero y no parecía que fuera a mejorar. Había tenido muchos trabajos diferentes y había viajado por el mundo. Había empezado un negocio y me estaba divirtiendo mucho. Estaba generando dinero pero no tenía una casa o inversiones o conciencia de cuánto dinero debía. Evitaba verlo y ¡creía que se resolvería solo!

En Julio 2002, conocí a Gary Douglas, el fundador de Access Consciousness (la compañía para la cual soy actualmente la Coordinadora Mundial) en un festival de Mente, Cuerpo y Espíritu en donde tenía un pequeño negocio en ese tiempo llamado "Good Vibes For You". Un amigo en común trajo a Gary para saludarlo. Gary me abrazó y me retiré inmediatamente. Me dijo "Sabes, te iría mucho mejor si estuvieras abierta a recibir. Serías más feliz y también generarías más dinero." Pensé que estaba loco. ¿A qué se refería con recibir? No tenía sentido. Pensé que tenía que dar y dar y eso es lo que haría que mi vida mejorará. ¡Nadie dijo nada acerca de recibir! Pensé que estaba en este planeta para *dar*.

Fui a una de las pláticas de Gary en el festival. Fue acerca de relaciones. Él era real, decía groserías, era irreverente, era cómico y no le estaba diciendo a la gente lo que tenía o no tenía que hacer. Fue la primer persona que decía que podías elegir lo que funcione para ti, que no tienes que ser o hacer lo que todos piensan que tendrías que hacer. Él dijo que tú eres el único que sabe lo que es verdad para ti, nadie más. Ese era un punto de vista totalmente diferente y empoderador. Yo estaba intrigada.

Empecé a usar las herramientas de Access Consciousness y noté que mi vida empezó a cambiar de formas milagrosas. Me volví más feliz, y muchas diferentes cosas se volvieron más sencillas y más gozosas.

Escuchaba a Gary y a su compañero de negocio, el Dr. Dain Heer, hablar acerca de las herramientas de Access Consciousness para el dinero, pero honestamente, no captaba lo que estaban diciendo ni le prestaba mucha atención. No fue sino hasta la tercera clase de Access Consciousness que finalmente escuché lo que estaban diciendo del dinero y las herramientas que puedes usar para cambiar tu realidad financiera. Me pregunté a mi misma "¿Qué pasaría si usara estas herramientas?" Todas estas otras partes de mi vida estaban cambiando cuando aplicaba las herramientas de Access, así que ¿quizá mi situación con el dinero cambiaría también?

No le dije a nadie que iba a usar las herramientas porque pensé que iba a ser como cuando dejé de fumar. Nadie realmente me había apoyado. ¿Y cuántas personas realmente te apoyan para generar cantidades masivas de dinero de todas formas? Así que empecé a usar las herramientas, sólo para mí, y mi situación de dinero empezó a cambiar bastante rápidamente. El dinero empezó a llegar de los lugares más aleatorios y mi disposición de *recibir* dinero incrementó dinámicamente hasta el punto en que realmente podía *tener* el dinero que estaba recibiendo, en lugar de siempre encontrar formas de gastarlo o pagarlo en cuanto llegaba a mi. Uhm - esa palabra "recibir" de nuevo. ¡Después de todo quizá Gary tenía un punto cuando me sugirió que me abriera a recibir!

Al cabo de dos años, estaba libre de deudas.

Quizá esperes que diga que se sentía maravilloso estar libre de deuda, pero ese no era el caso. Me sentía rara sin tener deuda. Estaba más cómoda estando *en* deuda que *libre* de deuda. Por un lado, se sentía más familiar. También era similar a la energía de la mayoría de mis amigos. Y definitivamente era similar a la energía de esta realidad donde todos "saben" que se supone que tienes que luchar por y con el dinero. La creencia general es que tienes que trabajar duro por tu dinero. No se supone que el dinero venga con facilidad y gozo y gloria. A la luz de esto, no era tan sorprendente que en un periodo corto de tiempo (aproximadamente dos semanas) estaba endeudada de nuevo. Por suerte estaba dispuesta a reconocer lo que estaba haciendo. Elegí estar consciente de lo que estaba creando y, usando las herramientas que había aprendido de Access, finalmente pude cambiar mi situación monetaria.

En este libro voy a compartirles los procesos y las herramientas que usé para moverme de elegir deuda a operar desde un espacio de estar dispuesta a tener dinero y usar el dinero para contribuir gozosamente a la expansión de mi vida y nivel de vida. *Este libro realmente es acerca de crear una realidad financiera que es gozosa y funcional para ti.* Si piensas que te gustaría hacer esto, tienes que estar dispuesto a ser brutalmente honesto contigo y elegir cosas diferentes. Tienes que tener total claridad de lo que *quisieras* crear porque la verdad es: *tú* eres el que crea todo lo que se presenta en tu vida.

Podría ser fácil que pienses que estoy diciendo la frase trivial "¡Puedes cambiar cualquier cosa!" - y quizá estés tentado a pasarlo por alto o ignorarlo, pero vuelve a ver lo que estoy sugiriendo: si deseas crear una realidad financiera que en verdad ames, que realmente funcione para ti, tienes que reconocer que *tú* eres la única persona que puede cambiar las cosas en tu vida, nadie más. Esto no quiere decir que estés solo en el mundo o que nada ni nadie te pueda contribuir. Lo que sí quiere decir es que tienes que estar dispuesto a reconocer que todo lo que se ha presentado en tu vida es porque *tú creaste que exista.* La mayoría de las personas no quieren oír esto porque piensan que quiere decir que tienen que juzgar lo que actualmente no les gusta de sus vidas aún más de lo que ya lo están haciendo. ¡Por favor no hagan eso! ¡Por favor no te juzgues! No estás mal. Lo que eres es un maravilloso y fenomenal creador. Reconocer que eres el creador de tu realidad entera es empoderador - porque lo creaste todo, también puedes cambiarlo todo. Y no tiene que ser para nada tan difícil o imposible como pudieras pensarlo. Lo que en cambio sí tienes que hacer es tener claridad de lo que quisieras crear como mundo financiero - y después usar las herramientas que funcionarán para poder crearlo. Y por eso escribí este libro - para darte las herramientas, las preguntas e invitarte a crear lo que sea que desees tener.

Si pudieras cambiar cualquier cosa, si pudieras crear cualquier cosa en tu mundo financiero ¿qué elegirías?

Nota especial: Todas las herramientas de este libro son de Access Consciousness; las historias son mías. Muchas gracias a Gary Douglas y al Dr. Dain Heer por siempre ser una contribución y una fuente de cambio que nunca se acaba.

Tabla de Contenidos

Parte Uno

Nueva Realidad Financiera 101

Capítulo 1

¿Qué genera dinero?

Si estás buscando una forma rápida de arreglar tus problemas de dinero, esta no es la respuesta.

Si estás buscando algo que te dé perspectivas y herramientas para cambiar tu estilo de vida, tu realidad y tu futuro con el dinero, y estás dispuesto a darte por lo menos 12 meses y ver qué puede ser creado en ese tiempo, este libro tiene mucho que contribuirte.

Lo que quiero que veas es que eres la fuente de la creación de dinero en tu vida. Cuando estás dispuesto a ser todo lo que eres, te vuelves una fuente infinitamente creativa para todo en tu vida - incluyendo el dinero. Tienes una capacidad ilimitada (y muy poco usada) para crear una realidad financiera que funcione para ti. El problema es que a la mayoría de nosotros nos han enseñado muchas cosas acerca del dinero que simplemente no son ciertas. Cuando empezamos a revelar esos mitos y conceptos erróneos, empiezas a jugar con las diferentes perspectivas y las combinas con herramientas sencillas y pragmáticas, se vuelve más sencillo y más gozoso crear un cambio dinámico en tu mundo monetario.

¿Qué tal si el dinero no es lo que te has comprado, lo que te han dicho o te han enseñado que es? ¿Qué tal si tu disposición de ser curioso, de hacer preguntas, de jugar y de recibir lo aleatorio, inesperado e impredecible, puede crear más dinero de lo que jamás pudiste haber imaginado?

¿Estás dispuesto a tener la aventura de crear una vida y un estilo de vida con mucho dinero en ella? ¿Verdad? ¿Tu respuesta fue "sí"? ¡Entonces empecemos!

NUNCA SE PRESENTA COMO LO PENSASTE (MEJOR CONOCIDO COMO EL MITO DE CAUSA Y EFECTO)

La mayoría de las personas creen que las finanzas y el dinero son algo lineal. Nos lo repiten una y otra vez, "para poder hacer dinero tienes que hacer y ser A, luego B y luego C." Esa es la mentalidad con la que vivimos y nos la pasamos buscando constantemente la fórmula perfecta para hacer mucho dinero. Seguimos viendo al dinero como algo que sólo se presenta como resultado de hacer determinadas cosas (como trabajar duro, trabajar muchas horas, heredando dinero o ganando la lotería). ¿Pero qué tal que crear dinero no fuera necesariamente un paradigma de causa y efecto? ¿Qué tal si el dinero se pudiera presentar de muchas formas diferentes, de muchos lugares diferentes?

Cuando cambié mi realidad financiera, el dinero llegaba de las formas más raras. Me regalaban dinero, y llegaban a mi trabajos muy raros y lucrativos. También era más fácil reconocer y recibir estas diferentes cosas porque en ese momento estaba preguntando "¿Cuáles son las infinitas formas diferentes en que el dinero se me puede presentar ahora?" Y estaba dispuesta a hacer todo y tomar cualquier trabajo que se sumará a mi vida y a expandir mi realidad financiera. No rehusaba el dinero de las posibilidades. En lugar de ello, me abría a ellas, sin tener un punto de vista de cómo se vieran. Esto permitía que diferentes cosas se presentaran en mi vida y me contribuyeran en formas que no hubiera podido reconocer si hubiera decidido que el dinero tenía que venir de "A, B, C" forma, lineal.

¿Qué tal si pudieras ser la persona rara que cambia su realidad respecto al dinero y las finanzas para siempre al renunciar a los puntos de vista lineales respecto al dinero? ¿Qué tal si pudieras tener flujos de dinero ilimitados? ¿Qué tal si pudieras crear dinero de formas en que nadie más puede? ¿Estás dispuesto a renunciar a tener que computar, definir o calcular *cómo* el dinero vendrá y permitir que venga a tu vida de formas aleatorias, mágicas y milagrosas? ¿No importando cómo se vea eso? ¿Incluso si se ve *totalmente* diferente a cualquier cosa que hayas considerado?

"¡Renuncia a manifestar cosas y deja que el universo haga su trabajo-!"

Érase una vez que yo fui hippie. Me encantaban todas las cosas espirituales. Me molestaba si olvidaba limpiar mis cristales bajo la luna llena. Mis amigos y yo hablábamos de cosas que nos gustaría "manifestar" en nuestras vidas. Imagina mi sorpresa cuando conocí a Gary Douglas y me explicó que "manifestar es el "cómo" las cosas se presentan - y cómo se presentan es trabajo del universo. Es tú trabajo actualizar: es tú trabajo pedir por ello y estar dispuesto a recibirlo, *de cualquier forma en que se presente.*"

¿Confundido? Ok, veamos esto un poco más a detalle. Manifestar realmente es *"cómo se presentan las cosas". Cuando le dices al universo "me gustaría manifestar esto" estás diciendo "me gustaría el cómo se presenten las cosas" lo cual no tiene sentido. Es confuso y poco claro para el universo y por lo tanto no puede entregártelo. El universo desea contribuirte ¡puedes pedir cualquier cosa! Pero cuando lo hagas, sé claro y pide que algo se presente en tu vida, no cómo se presente. Pregunta "¿Qué tomaría para que esto se presente? ¿Qué tomaría para actualizar esto en mi vida de forma inmediata?" Básicamente, si deseas que el universo te asista, pide LO QUE quieres, no CÓMO lo quieres, y eso quiere decir que renuncias a pedir el "cómo" manifestar cosas. Crea más claridad con el universo, empieza a hacer preguntas para que las cosas se actualicen y se presenten en tu vida, y deja que el universo se encargue del "cómo".*

¿Cuánto tiempo pasas tratando de resolver el "cómo" se presentarán las cosas en tu vida? ¿Cuánto tiempo pasas desperdiciando tu energía y esfuerzo desesperadamente tratando de resolver el *cómo* y *cuándo* todo se resolverá en lugar de pedirlo y preguntar por ello y simplemente estar dispuesto a reconocerlo y recibirlo cuando llegue? El universo tiene una infinita capacidad de manifestar, y usualmente tiene una forma más grandiosa y mágica de hacerlo de lo que podemos predecir. ¿Estarías dispuesto a renunciar a todas tus consideraciones de cómo algo se tiene que presentar y dejar que el universo haga su trabajo en paz? Lo único que tienes que hacer es recibir, y dejar de juzgarte.

Tienes que estar dispuesto a dejar de tratar de controlar, predecir y resolver el cómo (y el cuándo) el dinero se presentará y estar dispuesto a actualizarlo. Para actualizar con mayor facilidad, tienes que quitarte las orejeras y las cortinas y abrirte a la miríada de formas que el universo desea regalarte, para que no te lo pierdas cuando lo haga.

Algunas veces el universo tiene que mover diferentes cosas para poder crear lo que tú deseas. Quizá no suceda de forma inmediata ¡pero eso no quiere decir que no esté pasando nada! No juzgues que no puede o que no pasará, y no juzgues que estás haciendo algo mal, pues esto detendrá lo que ya has empezado cuando pediste lo que deseabas. Sé paciente y no limites las futuras posibilidades.

Recuerda: "Demanda de tí mismo y solicita al universo."

"El Dinero no sólo es efectivo."

Gary a menudo cuenta una historia de una mujer que fue a una de sus clases de dinero. Unas semanas después él le llamó por teléfono para ver cómo estaba y ella dijo "No ha cambiado nada ¡no funcionó para mí!" Él le preguntó porque pensaba eso y ella dijo: "Porque mi balance de cuenta está igual que antes" Gary le preguntó qué más había estado pasando recientemente. Ella le dijo "Oh bueno, una amiga mía acaba de cambiar de automóvil y me regaló el que tenía anteriormente." Otra amiga mía me regaló toda su ropa de diseñador que nunca había usado y que ya no quería, y ahora estoy viviendo en un departamento muy lindo con vista al mar, gratis, porque mi misma amiga se fue a vivir al extranjero durante 6 meses."

Gary le dijo a la mujer "Tienes un automóvil nuevo, tienes un guardarropa nuevo y un lugar hermoso para vivir - ¡Y piensas que nada ha cambiado!" ¡Acabas de recibir el equivalente a miles de dólares en los últimas semanas! ¿Cómo dices que eso es *no* tener más dinero en tu vida?" La mujer sólo había estado abierta a ver el dinero en su vida como efectivo en su cuenta de banco. ¿Pero cuánto le hubiera costado comprar un automóvil, tener un guardarropa de diseñador o pagar la renta en el lugar donde ella estaba viviendo?

Hay tantas formas en las que el dinero y los flujos de dinero pueden entrar a tu vida, pero si no estás dispuesto a reconocerlos, si piensas que tienen que verse de determinada forma, puedes pensar que no estás cambiando las cosas, cuando de hecho sí lo estás haciendo. ¿Qué tal si estuvieras dispuesto a tener todas las formas en que el dinero puede llegar a tu vida y más?

¿Estás dispuesto a renunciar a predecir, controlar y resolver y empezar el camino de pedir lo que realmente deseas tener como realidad financiera y recibir la aventura de que ello se presente en formas que en este momento no puedes imaginar?

Si es así, es momento de ver otra herramienta esencial para crear dinero: preguntando y recibiendo.

PREGUNTA Y RECIBIRÁS

Las personas hacen juicios y enuncian acerca del dinero todo el tiempo, pero muy pocos de ellos hacen preguntas al respecto.

Si eres como casi todos en el planeta, tiendes a juzgarte a ti mismo acerca de la cantidad de dinero que tienes y que no tienes. Lo cómico al respecto es que no importa si tienes mucho dinero o poco; la mayoría de las personas tienen toneladas y toneladas de juicios respecto al dinero. Independientemente de lo que hay en su cuenta de banco, muy pocas personas están tranquilas, en paz y en abundancia con el dinero.

Quizá hayas escuchado el dicho "Pide y recibirás". ¿Alguna vez realmente has pedido dinero? ¿Alguna vez has estado realmente dispuesto a recibirlo? Recibir es simplemente estar dispuesto a tener las infinitas posibilidades de que algo venga, sin tener punto de vista del qué, dónde, cuándo, cómo o por qué se presenta. Tu capacidad para recibir dinero se abre cuando desechas tus juicios acerca del dinero, y de ti en relación con el dinero.

Si realmente deseas un cambio en tu realidad financiera, renunciar al juicio va a tener que ser uno de tus pasos principales en este proceso. Contrario a lo que el mundo nos dice, los juicios no crean más en nuestras vidas. Nos mantienen en un mundo polarizado de correcto e incorrecto, bueno y malo, alineando y aceptando o resistiendo y reaccionando. El juicio no te da ninguna libertad, elección o posibilidad de algo diferente más allá de lo que está de un lado de la moneda o de otra. El juicio detiene tu pregunta y te impide recibir. ¿El antídoto? LA ELECCIÓN. Tienes que elegir detenerte en ese momento de juicio y hacer la demanda de ti mismo de que ya no te juzgarás o te irás a un lugar limitado de pensamiento o conclusión. Y después, haz una pregunta.

Regresemos a este concepto lineal con el dinero por un momento. Cuando crees, basado en un montón de pensamientos, sentimientos, juicios y conclusiones, que el dinero sólo puede presentarse de ciertas maneras, entonces el dinero no se puede presentar de ninguna otra forma más que en la que decidiste que es posible o probable. Con cada juicio de lo que decidiste que no es posible, te ciegas a ti mismo a cualquier cosa que se pudiera presentar más allá de tu limitado punto de vista; tal como la señora con la que Gary habló, que había creado todas estas cosas que valían mucho dinero, pero que había decidido que nada había cambiado porque su cuenta de banco se había mantenido igual. Si estás dispuesto a soltar tus juicios respecto al dinero, puedes empezar a ver posibilidades que previamente habías considerado imposibles en tu vida, e invitar a que más y más venga a ti.

¡Y una de las formas más sencillas de invitar más dinero a tu vida es preguntando!

Generalmente, he notado que las personas no son muy buenas preguntando cosas. Si ves a un niño pequeño, ellos son naturalmente muy curiosos, quieren saber acerca de las cosas, y tienden a hacer muchas preguntas. Y muchas de las veces se les desalienta a hacerlo.

Cuando era niña, me desalentaban a hablar de negocios o dinero en la mesa, ya que mi madre había sido criada creyendo que no era de buena educación hacerlo. Siempre tuve curiosidad acerca de los negocios y el dinero. Mi padre y mi hermano fueron contadores y a los dos les encantaban los negocios. Yo quería hacer preguntas todo el tiempo, especialmente a la hora de la cena cuando estábamos todos juntos, pero no era apropiado.

¿Te han enseñado que eso no es propio o que es grosero hablar de dinero? ¿Te han enseñado que está mal hacer preguntas de dinero? ¿Te han desalentado a hacer cualquier tipo de pregunta?

Conozco a tantas personas que fueron criticadas por ser curiosos desde pequeñas. ¡Tengo un amigo cuya madre tocaba una vez la boca de su hijo para hacerle saber que tenía que dejar de hablar porque hacía demasiadas preguntas! Otro amigo, cuando hacía preguntas de pequeño, su familia le decía "La curiosidad mató al gato ¿por favor, será posible que también te mate a ti?"

Realmente, a la mayoría de las personas en el planeta les han enseñado que el preguntar o pedir dinero, o preguntar o pedir cualquier cosa es algo que no tendrías que hacer, a menos que tuvieras una razón o justificación demasiado buena, por ejemplo que has trabajado suficientemente duro o donde compruebas que lo mereces.

Hace años, la fabulosa razón que tenía para tener dinero era "tendría que tener mucho dinero porque haré cosas buenas con él. Lo usaré para ayudar a las personas". Ahora, no hay nada de malo en principio con esa idea, pero lo que quiere decir es que no podía permitir que el dinero que me llegaba contribuyera a mi vida. Yo no estaba dentro de la ecuación de personas a las que podría ayudar con él. Esto quería decir, básicamente, que cada vez que yo recibía dinero, tenía que deshacerme de él. No podía tenerlo en mi vida o dejar que me contribuyera directamente, porque tenía que estar ayudando a otras personas todo el tiempo. Lo cómico es que una vez que me permití tener dinero, de realmente tenerlo en mi vida y dejar que contribuyera a mi vida, el disfrutarlo, y disfrutar de ser yo, mi habilidad de contribuir a otros incrementó - y continúa incrementando - exponencialmente.

Éste es el asunto: el dinero no tiene un punto de vista, no tiene la brújula moral que dice: "has sido bueno, así que puedes tener más dinero" o "has sido malo, así que ¡no habrá dinero para ti!" El dinero no juzga. El dinero se muestra a las personas que piden y que están dispuestas a recibirlo.

Voltea a ver al mundo - ¿has notado que hay gente gentil y poco gentil con dinero y gente gentil y poco gentil sin dinero?

No tienes que comprobar que eres bueno o malo, o que mereces dinero, tienes que estar dispuesto a dejar de juzgarte ya sea que merezcas dinero y lo pidas, sólo porque puedes. ¡Sólo porque es divertido tener dinero!

¿Qué tal si pudieras pedir dinero, sólo porque sabes que la vida se volvería más divertida con él que sin él? ¿Qué tal si el propósito de la vida fuera divertirse? ¿Estás dispuesto?

EL DINERO SIGUE AL GOZO, NO AL REVÉS

Muchas personas me preguntan cómo pueden crear más dinero. He hablado con personas que ganan cierta cantidad de dinero fija cada mes o cada semana y también con otros quienes crean otras formas para recibir dinero, en donde el dinero varía semana a semana o mes a mes. Independientemente de la situación, les digo a las personas que obtener dinero es acerca de la energía *generativa* que tú creas.

Una forma más sencilla de decir esto ha sido muy elegantemente dicha por el Dr. Dain Heer "el dinero sigue al gozo, el gozo no sigue al dinero".

Algunas veces he oído que las personas dicen "Cuando tenga esta cantidad de dinero, seré feliz o tendré paz, o estaré en calma". ¿Qué tal si simplemente te despertaras feliz? ¿Qué tal si simplemente tuvieras paz? ¿Qué tal si simplemente tuvieras facilidad? ¿Qué tal si empezaras a ser una diferente energía, justo ahora? ¿El tipo de energía que invita más dinero a tu vida?

"¿Si tu vida fuera una fiesta, el dinero querría asistir?"

Si vieras a tu vida como una fiesta ¿Qué tipo de invitación sería para el dinero?

23

"Bueno… voy a tener esta fiesta, pero no nos estamos divirtiendo nada. No tenemos comida o bebida rica, no vamos a usar ropa linda, y cuando vengas probablemente me voy a quejar de que no eres suficiente para mí, que nunca te quedas suficiente tiempo, y te diré lo mal que me siento cada vez que pienso en ti. Y cuando te vayas, te voy a juzgar por ello también, en lugar de agradecer que hayas venido. Ah y me voy a estar quejando de ti a tus espaldas todo el tiempo."

Si recibieras una invitación a una fiesta de ese tipo ¿te gustaría ir?

Si te invitaran en donde el anfitrión dijera, "wow, estoy tan agradecido de que estés aquí ¡gracias por venir!" En donde hay comida increíble, champaña deliciosa, música, gente que genuinamente estuviera disfrutando de estar ahí y disfrutando de *ti*, que no te juzgaran por irte de la fiesta, pero que te invitarán a regresar cada vez que quisieras y a traer a tantos amigos como tú quisieras; ¿sería esa más el tipo de fiesta que te entusiasmaría?

¿Qué tal si empezaras a vivir tu vida como la celebración que puede ser, hoy? ¿Qué tal si no esperaras a que se apareciera el dinero? ¿Qué tal si empezaras a hacer y ser aquello que te trae gozo? desde ahora.

"¿QUÉ TE TRAE GOZO?"

La energía que tú creas cuando te estás divirtiendo, cuando estás totalmente, felizmente involucrado en algo que amas, es generativo. No importa cómo creas esa energía. No tiene que estar directamente relacionada con lo que estás haciendo, que en este momento te genera dinero, (recuerda que estamos dejando la linearidad de la causa y el efecto). La energía generativa (la energía del gozo) contribuye a tu vida y a tu negocio, no importa cuándo, cómo, dónde y por qué lo creas, o con qué lo creaste.

Realmente no nos piden saber qué es lo que nos provoca gozo para después buscar las innumerables maneras en que eso nos puede generar dinero por ser divertido - así que quizá te tome un tiempo descubrir lo que te causa gozo. ¿Estarías dispuesto a preguntarte a ti mismo y a elegir lo que sea que ésto es?

Mi pareja, Brendon se volvió "tradie" (eso en slang de australia es obrero) desde muy joven. Era azulejero. Durante mucho tiempo Brendon creyó que ser azulejista es lo único que realmente podía hacer, a pesar que en verdad él tenía capacidad para mucho más. Cuando empezamos a salir, a él no le traía mucho gozo ser azulejero. Así que le di el espacio para que él se preguntará acerca de lo que realmente le traía gozo y que eligiera algo diferente. Apoyé por completo a Brendon y a su hijo financieramente por 18 meses. Podía ver sus capacidades, y también podía ver dónde él necesitaba el espacio para elegir algunas cosas acerca de lo que él deseaba hacer con su vida. En ese tiempo él se convirtió más en sí mismo. Se dio cuenta de en qué era muy bueno y qué le traía gozo, ya fuera cocinar platillos deliciosos, diseñar y encargarse de las renovaciones de la casa, jugar en la bolsa de valores, o invertir en propiedades. Si él se hubiera quedado atrapado en la idea de que tenía que quedarse como azulejista por el resto de su vida, nunca se hubiera permitido ese cambio.

¿Qué tal si le pudieras permitir a cualquier persona (incluyéndote a ti) el espacio de elegir algo diferente? ¿No importando cuántos años tengas, no importando cuánto tiempo tome, no importando si no tienes idea por dónde empezar?

Si tienes 55 y te haces esta pregunta y dices "siempre he querido estar en el circo" entonces ¡entra al circo! Haz lo que sea que te encante hacer porque eso te traerá más dinero. No crees nada como una justificación del por qué no estás eligiendo algo.

"¡Tu negocio es tu vida, y tu vida es tu negocio!"

¿Qué es lo que te gusta hacer, sólo por diversión? ¿Qué tal si hicieras esto por una hora, una vez a la semana?

Tengo este dicho: "tu vida es tu negocio, tu negocio es tu vida." ¿Qué tal si el negocio de vivir fuera el negocio en el que realmente estás involucrado, sin importar qué trabajo tienes? ¿Con qué energía estás operando tu vida? ¿Te estás divirtiendo?

A menudo saco a mi perro a caminar a la playa por la mañana. Cada vez que vamos, es como si fuera la primera vez para él. Él brinca por todos lados con energía exuberante como diciendo '¡Esto se maravilloso! ¡es increíble! Corre en la playa y hacia el océano y se la pasa muy bien. Para mí, es común que cuando estoy disfrutando de la playa estando con mi perro que recibo las mejores ideas creativas y generativas. Crear ese espacio para el gozo es una contribución a nosotros mismos que no reconocemos siquiera un poco.

Ninguna cantidad de dinero en el mundo puede crear felicidad. Tú la creas. Al hacer lo que disfrutas hacer. Al ser TÚ. Así que, por favor, empieza a hacer y ser lo que realmente deseas hacer y ser. Empieza a ser feliz. Sólo empieza.

Si deseas tener más dinero en tu vida, tienes que estar dispuesto a pasarla muy bien. No importa lo que tome, no importa cómo se vea y no importa cómo se presente, porque nunca se presenta de la forma en la que te lo estás imaginando.

Tienes que estar dispuesto a tener gozo y permitir que el dinero lo siga.

DEJA DE HACER AL DINERO SIGNIFICATIVO

¿Qué quiere decir el dinero para ti? ¿Es muy significativo en tu vida? ¿Qué emociones tienes respecto al dinero? ¿Gozo, felicidad, facilidad? ¿Ansiedad, estrés y dificultad?

Cualquier cosa que hacemos significativa e importante se vuelve una fuente de juicio acerca de nosotros mismos, y de aquello que hemos hecho significativo.

Cuando haces algo significativo, lo haces más grande y más poderoso de lo que tú eres. Cualquier cosa que tiene significado en tu vida, haces que *sea* poderoso y *tú* te vuelves la víctima sin poder. En realidad no es verdad que sea más grandioso, o que tú no tengas poder, pero lo que haces es hacerlo tan importante y significativo para ti en tu vida que decides que no puedes vivir sin él, y haces como si no tuvieras ninguna elección al respecto; excepto en hacer lo que sea para aferrarte a él. El problema es que cuando te aferras a algo muy fuertemente, la vida se drena. Cuando haces de algo significativo, tú lo sofocas y te sofocas a ti mismo, así que no hay espacio para que nada crezca, respire, cambie o se expanda.

¿Has notado que cuando haces de algo significativo, importante o imperativo se vuelve prácticamente imposible sentirse juguetón, contento o en paz con ello? Se vuelve imposible crear más de ello en tu vida porque estás demasiado ocupado tratando de no perder lo que sea que en ese momento tengas. Eso es exactamente lo que tendemos a hacer con el dinero.

Hay *mucha* significación respecto al dinero.

Puede ser imposible que te pidamos que te imagines tu vida sin que el dinero tenga significado, pero míralo por un minuto. Si el dinero no fuera significativo ¿cuánta libertad te daría eso? ¿Cuánta más elección? ¿Cuánto más ligero y contento te sentirías en todos los aspectos de tu vida?

¿Qué tal que empezaras hoy creando cada parte de tu vida como una celebración gozosa?

Hace muchos años me di cuenta que había estado atorada en la mentalidad de elegir todo lo que podía o no podía hacer basada en el dinero que tenía en mi cuenta de banco. Me había estado preguntando a mi misma: ¿Qué tomaría para crear el dinero para ir a un evento de Access Consciousness en Costa Rica? Me acuerdo de ese momento, y no mucho tiempo después, estaba sentada con un montón de dinero que había creado. Tenía el dinero justo en mi mano, pero estaba yendo hacia todos estos pensamientos de lo que tendría que hacer con él y preocupándome de si vendría más dinero o no. Alguien me había dicho "¿Cuándo vas a dejar de hacer más significativo al dinero que a ti?" Y cuando volteé a ver el efectivo en mi mano, lo empecé a ver como estos hermosos, coloridos pedazos de papel. Lo vi por completo y pensé "wow ¿estoy haciendo a este pedazo de papel que está en mi mano más significativo que las elecciones que podría hacer en mi vida?" ¡Eso es una locura! Después de eso, me hice la demanda a mi misma de no hacer más valioso el dinero que a mi. Lo que tienes que recordar es que el dinero no es la fuente de la creación, tú eres la fuente de la creación. ¡TÚ creas tu vida!

Para crear una realidad financiera gozosa con el dinero, tienes que renunciar a todo lo que has decidido que es significativo acerca del dinero, y tienes que estar dispuesto a ser gozoso y feliz, con o sin dinero. ¿Qué tal si empezaras a crear tu vida como una invitación irresistible a que más dinero venga a jugar contigo? ¿Qué puntos de vista acerca del dinero tendrías que tirar para poder crear eso con facilidad?

Capítulo 2

¿Qué cambia la deuda?

¿Cuál es tu punto de vista acerca de la deuda? ¿Te parece normal, inevitable o ineludible ¿Te han enseñado a creer que la deuda está mal, incorrecta o un mal necesario? ¿Evitas enfocarte en tu deuda? ¿Te mantienes ignorante acerca de tu deuda y esperas que se resuelva por sí sola?

¿Qué tal si yo te dijera que la deuda es sólo una elección? No está bien, no está mal, no es correcta ni incorrecta; es sólo una elección.

Quizá esto suene simplista, sin embargo la herramienta más poderosa y esencial para salir de la deuda es reconocer que la deuda es una elección que haces, y que puedes cambiarla si así lo deseas. Una vez que hayas elegido salir de la deuda, puedes cambiar cualquier cosa.

A menudo cuando le digo a las personas "La deuda es sólo una elección. El dinero sólo es una elección" realmente no lo quieren saber. Preferirían juzgarse a sí mismas en lugar de voltear a ver lo que están creando actualmente como su realidad.

Podrías preguntarte a tí mismo "si la deuda sólo es una elección ¿por qué tengo deuda?" ¿Qué es lo que he hecho mal? ¿Por qué no lo he hecho bien?" Por favor no te juzgues, avergüences o vayas a lo incorrecto de ti. ¿Qué tal si nada de lo que has hecho ha estado bien o mal? Te trajo hasta este momento, buscando algo diferente, leyendo este libro y buscando otras posibilidades con el dinero ¿Cierto? Así que, ¿qué tal si ahora es el momento perfecto para elegir algo nuevo?

Y puedes elegir algo nuevo en seguida. El momento en que eliges algo diferente, cambias tu realidad con el dinero. El momento en que te dices a ti mismo "¿Sabes qué? ¡No importa qué, voy a cambiar esto!" te empoderas a ti mismo para empezar a quitarte los lentes de la deuda y preguntar "¿qué más es posible?" y "¿Qué puedo hacer para cambiar esto?"

¿Cuánto has creado tu vida desde un espacio de deuda? ¿Qué tal si en lugar de elegir desde el punto de vista de "no puedo cambiar esto", conectas con la pregunta de "¿Qué tal si pudiera elegir cualquier cosa? ¿Qué tal si yo eligiera para mi? ¿Qué es lo que quisiera crear?"

Cuando cambias tu punto de vista, tu realidad cambia. ¿Qué punto de vista tienes que está creando tu situación financiera? ¿Qué tal si te permitieras cambiar ese punto de vista? ¿Te daría la libertad de elegir algo diferente?

TU PUNTO DE VISTA CREA TU REALIDAD (FINANCIERA)

¿Cuál es la diferencia entre lo que es real y lo que no es real para ti en tu vida? Tu elección de cómo lo ves. El punto de vista que has tenido del dinero hasta hoy ha creado tu situación con el dinero. ¿Cómo está funcionando esto para ti?

Desde el momento en que fuimos concebidos, estamos absorbiendo la realidad de nuestros padres, la realidad de nuestra comunidad, de nuestros amigos, de nuestros parientes, de nuestros compañeros, nuestros maestros, nuestra cultura y la realidad de nuestra sociedad respecto al dinero. Constantemente proyectan en nosotros y esperan que nos compremos los mismos puntos de vista. No nos enseñan a cuestionar si eso es verdad, real o relevante para nosotros. Nos han dicho "Así es como son las cosas, esta es la realidad de la situación." ¿Pero qué tal que si no es así?

Pude haberme comprado los puntos de vista de mi familia, de que era inapropiado hablar de dinero a la hora de la cena, y sentirme mal por desear hablar de dinero durante la cena. Podría haberlo dejado de hacer. Pero lo que hice en lugar de eso fue reconocer que su punto de vista sólo era su punto de vista y que eso no tenía que ser real ni verdadero para mí. A mi pareja y a mí nos encanta hablar de dinero con una copa de vino a la hora de la cena. Tenemos a lo que nos gusta referirnos como "Financieros 101" mientras disfrutamos de las comidas deliciosas que él prepara. Hablamos acerca de dónde estamos con el dinero, de lo que queremos crear con el dinero en un año, en cinco años, en diez años y jugar con la idea de qué más es posible que aún no hemos considerado. Nos divertimos, generamos mucho entusiasmo y gozo en nuestras vidas, surgen ideas geniales y establecemos nuevos objetivos. Si me hubiera comprado los puntos de vista de otras personas como verdaderos para mí, no hubiera sido posible que creara esta maravillosa parte de mi realidad que disfruto con mi pareja y que nos contribuye inmensamente a nuestras vidas y en la creación de nuestras finanzas.

Si "des-fijas" tus puntos de vista fijos del dinero, si no tuvieras ningún juicio del dinero ¿qué crearías como realidad financiera? ¿Sería serio y problemático como tan frecuentemente nos lo hacen saber? ¿O estarías creando algo muy, muy diferente?

> *"¿Has decidido que las cosas sólidas*
> *y pesadas de la vida son reales_?"*

Hablé con una mujer que quería expandir su negocio, pero ella había concluído que no tendría suficiente dinero para sobrevivir si seguía adelante con su plan. Se sentía paralizada. Ella decía que sabía que estaba funcionando desde una energía que no era ni real ni verdadera, sin embargo de alguna forma eso la mantenía dentro de la caja. Le pregunté "¿Estás haciendo las conclusiones reales? Hay una pesadez que asociamos con la realidad. ¿Pero qué tal si no hay nada en ello? ¿Qué tal si sólo son un interesante punto de vista?"

La mujer preguntó "¿Pero no es real que necesito dinero para pagar mis cuentas? ¿No es real que necesito dinero para pagar por mi comida? ¿No son todas esas reales?"

Yo le dije, "Todos te están diciendo, 'Tienes que pagar tus cuentas y tienes que pagar tu comida' pero todas esas son conclusiones. No tienes que hacer esas cosas. Podrías declararte en quiebra. Podrías no pagar tus cuentas. Podrías simplemente irte. Podrías ir a casa de un amigo y comer en su casa. Hay un millón de cosas diferentes que podrías hacer. También podrías elegir crear algo diferente." Realmente todo regresa a la cuestión de la elección. Tienes una elección. ¿Qué estás eligiendo?

Hace muchos años, también estaba pasando una etapa difícil y le llamé a un amigo. Cuando le conté lo que pasaba, él dijo "sí Simone pero eso no es real." Estaba parada en mi cocina pensando "Sí es real. Esto es real." Me empecé a reír porque quería tanto que mi amigo se comprara el lugar desde el cual estaba funcionando. Quería que él se alineara y aceptara mis conclusiones y limitaciones y dijera "¿sabes qué? Tienes razón, esto es real."

¿Qué has decidido que es real y qué no es real para ti? ¿Por qué has decidido que es real? ¿Porque esa fue tu experiencia en el pasado? ¿Porque se "siente" real: pesado, sólido, sustancial o inamovible? ¿Algo que es verdad para ti realmente se sentiría como una tonelada de ladrillos o te haría sentir ligero y más contento?

Ve algo que es sólido, como un ladrillo o un edificio. La ciencia nos ha mostrado que incluso las cosas más sólidas realmente son 99.99% espacio. ¿Qué tal si lo que has decidido que es real, sólido e inamovible realmente no lo es y tan sólo ha sido como te han enseñado a verlo?

"Una gran herramienta para crear facilidad con cualquier punto de vista es hacerlo interesante, en lugar de real."

Una de mis herramientas favoritas de Access Consciousness es esta: por los siguientes tres días, por cada pensamiento, sentimiento y emoción que surja (no sólo acerca del dinero, sino respecto a todo) ¿qué tal si te dijeras a ti mismo "interesante punto de vista que tengo este punto de vista?" Dilo algunas veces nota como algo cambia. Vamos a probarlo: ¿Cuál es tu problema más grande con el dinero en este momento? Ve qué sentimiento o emoción surge. Ahora enfócate en él y di "interesante punto de vista que tengo este punto de vista." ¿Algo ha cambiado? Si no, dilo de nuevo. Dilo tres veces más, 10 veces más. ¿Notas alguna diferencia? ¿Se vuelve más difícil aferrarse a él? ¿Se vuelve menos sustancioso y sólido? Cuando dejas de comprarte que un punto de vista es real o absoluto y lo ves como meramente interesante, se empieza a aligerar y tiene menos impacto en tu universo. Cuando dices "interesante punto de vista que tengo este punto de vista" a un pensamiento, sentimiento o emoción y se disipa y cambia, eso quiere decir que eso no es real para ti.

Ahora piensa en alguien por el cual estés muy agradecido en la vida. Recibe la energía de tenerlos en tu vida, velo y ahora di "interesante punto de vista que tengo este punto de vista" ¿Eso se va y se disipa? ¿O algo diferente pasa?

Cuando algo es verdadero para nosotros, y lo reconocemos, crea una sensación de *ligereza* y *expansión* en nuestro mundo. Cuando algo no es verdad, como un juicio o una conclusión, hemos llegado a un fin de algo, es pesado y se siente contraído o apretado. Cuando dices "interesante punto de vista que tengo este punto de vista" lo que es verdad para ti se expande y crece, y lo que no, se convierte en menos sustancial y se disipa.

Aquí tienes otra manera en que puedes usar "interesante punto de vista" mientras lees este libro. Por cada pensamiento, sentimiento o emoción que surja respecto al dinero mientras lees, toma un minuto para reconocer ese punto de vista, después usa "interesante punto de vista." Quizá encuentres que prácticamente todo lo que pensaste que era sólido y absoluto acerca de tu situación financiera actual es sólo interesante, y no es real para nada. Con "interesante punto de vista" todo se vuelve maleable. Puedes elegir si quieres quedártelo, cambiarlo o crear un punto de vista totalmente diferente.

¿Qué quieres crear y elegir hoy?

RENUNCIANDO AL CONFORT CON LA DEUDA

A menudo hablo con personas que estuvieron endeudados, que solucionaron sus temas de deudas y después volvieron a entrar en deuda. Yo hice eso mismo. Recientemente hablé con alguien que me dijo "estaba libre de deuda y tenía dinero en mi cuenta de banco por primera vez en mi vida, pero ahora de nuevo tengo una deuda de $25,000. ¡Esta es la cuarta vez! ¿Qué está detrás de este patrón? No me gusta tener deuda y estar luchando para encontrar el dinero para pagar la deuda, pero tampoco me gusta la restricción de no elegir algo sólo porque no tengo dinero."

Le pregunté "¿realmente estás dispuesta a estar libre de deuda?" y reconoció que no podía responder "¡Sí!" Para ella, había algo más cómodo en estar *con* deuda que *libre* de deuda. Yo sé que eso fue verdad para mí cuando salí de deuda, y también podría ser verdad para ti. De hecho estaba decepcionada la primera vez que salí de deuda. Pensé "¿Dónde están las trompetas y los fuegos artificiales y el gran desfile que gritaría "Sí Simone, eres fantástica?" Fue una decepción. Me sentía rara y me era poco familiar no tener deuda en mi vida. ¿Para cuántos de ustedes eso también es un sentimiento familiar?

Hay muchas razones por las cuales estamos más cómodos en deuda que libre de la deuda. Puede ser que estés acostumbrado a ser como todos los demás. Quizá no quieras ser la amapola alta (este es un término que usamos en Australia para describir a las personas que aún con mérito propio son resentidos, atacados, sobajados o criticados por sus talentos o logros hacen que sobresalgan de las masas) o quizá no te guste la idea de ser juzgado por ser la única persona que conoces que no tiene deudas o problemas de dinero.

Si sigues manteniéndote con cierta cantidad de deuda y realmente deseas cambiarlo, tienes que tener el coraje y confrontarte contigo mismo respecto a lo que actualmente estás eligiendo y elegir algo diferente. ¿Estás dispuesto a estar incómodo para poder crear libertad en esta área? Si es así hagamos algo un poco raro: veamos qué es lo que *amas* de tener deuda.

"¿Qué es lo que amas de tener deuda y no tener dinero?"

Puede parecer una pregunta rara, pero cuando tenemos algo en nuestras vidas que decimos que odiamos, a menudo hay algo que secretamente amamos acerca de crearlo que no estamos viendo. Si estuvieras dispuesto a hacer algunas preguntas, puedes reconocer lo que te está manteniendo atorado. Si no lo reconoces, no puedes cambiarlo.

- ¿Qué amas de tener esa deuda con ese monto? ¿Es ese el monto de deuda que es cómodo para ti? ¿Te mantiene atorado en una realidad financiera limitada? ¿Te mantiene igual que a todos los demás?

- ¿Qué amas de no tener dinero? ¿Te asegura que no destaques de los miembros de tu familia? Si tuvieras dinero ¿piensas que tu familia te demandaría que les dieras dinero?

- ¿Qué amas odiar respecto a no tener dinero? ¿Te da algo por lo cual quejarte, una historia o justificación de que puedes recaer en lugar de solo cambiarlo?

- ¿Qué amas odiar respecto a no tener dinero? ¿Te han dicho que está mal el amar el dinero? ¿Es la raíz de todo mal? ¿Juzgas la elección de no tener dinero? ¿Considerarías no juzgarte y reconocer que ahora tienes una elección diferente?

- ¿Qué elección puedes hacer hoy que pueda crear más ahora y en el futuro?

Quizá no estés muy cómodo haciéndote estas preguntas. Quizá te sientas tentado a juzgarte más. Por favor no lo hagas. ¿Qué tal si reconocer todas las cosas locas que has decidido que amas acerca de estar en deuda fuera la llave para cambiarlo, al verlo sin juicio y dándote cuenta que algunas veces somos lindos, pero no muy inteligentes, y al reconocerlo puedes elegir algo diferente? ¿Qué tal si no fuera incorrecto? ¿Qué tal que pudieras estar agradecido por el valor de voltear a ver eso?

Te voy a contar una historia acerca de uno de mis locos puntos de vista respecto al dinero y la deuda que estaba usando para impedirme tener dinero. Amo a mi papá. El era un hombre muy gentil. A menudo me decía que no moriría hasta que pudiera asegurarse que su familia tuviera educación y estuviera segura financieramente. Todo lo que él hizo como hombre fue para crear una vida segura y a salvo para su esposa y sus hijos. No quería que mi padre muriera porque lo amaba tanto. Ahora, mi mamá y mis hermanos estaban financieramente estables y habían recibido una buena educación. La única que no tenía todo resuelto era yo. Me di cuenta que a pesar de que era perfectamente capaz de crear un grandioso futuro financiero, había creado un desastre financiero porque pensaba "mientras tenga problemas de dinero y de deuda, mi padre no morirá". Ahora, viendo esto de manera lógica, era un punto de vista bastante loco ¿cierto? Pero eso es lo que había estado haciendo. Afortunadamente, mi padre aún estaba vivo en ese entonces y hablé con él al respecto. Me respondió con su acento lituano "Oh Simone, eso es una locura, ¿qué estás haciendo?" y le dije "¡lo sé!" Y empecé a cambiar mi deuda a partir de entonces. Y también pude ver el gozo y la alegría que empezó a incrementar en su mundo mientras yo creaba una realidad financiera más grandiosa para mí misma. Por decirlo de forma sencilla: *empecé a recibir*.

¿Estás dispuesto a estar consciente de cómo te gustaría que fuera tu vida? ¿Estás dispuesto a ir más allá de tus zonas de confort con respecto a la deuda y al dinero, y empezar a prosperar en lugar de sólo sobrevivir?

ESTAR DISPUESTO A TENER DINERO

Un amigo alguna vez me dijo: "Soy muy bueno creando dinero. Cuando sí estoy creando y generando dinero, tengo una falsa sensación de una vida de riqueza. Gasto mucho. Tengo mucha deuda que pagar, pero no lo estoy haciendo mi prioridad. En lugar de eso, gasto el dinero, entre más rápido mejor, y de nuevo estoy en la trampa. ¿Qué es esto y cómo lo puedo cambiar?"

Hay mucha gente así. Les gusta *gastar* dinero más de lo que les gusta *tener* dinero. ¿Disfrutas tener dinero? ¿O el gastar es lo más importante en tu vida? ¿Siempre encuentras dónde gastar tu dinero? ¿Pagas tus tarjetas de crédito y piensas "¡Maravilloso! ahora tengo otros $20,000 (o lo que sea tu límite de crédito) para gastar?"

Nos han enseñado que el valor de tener dinero es gastarlo, o ahorrarlo para gastarlo después. Pero rara vez hablamos de *tener* dinero, y la diferencia que eso puede tener en nuestros mundos financieros.

"Hay una diferencia entre tener, gastar y ahorrar dinero."

Gary Douglas dice que él siempre contrata gente que está dispuesta a tener dinero, ya sea que en ese momento tengan o no. Él sabe que aquellos que están dispuestos a tener dinero (independientemente de si en ese momento tengan mucho dinero o no) generarán dinero para sí mismos y para el negocio, pero si no están dispuestos a tener dinero, no lo harán.

Me tomó un tiempo el estar dispuesta a tener dinero. Era grandiosa generándolo. Tenía negocios que perdían dinero y negocios que ganaban dinero. Siempre he creado dinero, sin importar qué, incluso cuando tenía deudas. Podía generarlo, ahorrarlo y gastarlo también. Sin embargo, lo que no estaba dispuesta a hacer, era educarme respecto al dinero. Pensaba que la ignorancia era una bendición. ¿Te suena familiar?

Una vez creé un negocio en una noche con un amigo, haciendo frascos de brillantina para vender, para que pudiéramos ir a todas las fiestas durante el Mardis Gras en Sidney. Cuando decidí que quería ir al extranjero, trabajé duro, tenía tres trabajos y ahorré todo mi dinero para poder viajar; y a donde fuera hice muchos diferentes tipos de trabajo para poder seguir viajando. Sin embargo, no me permitía realmente *tener* dinero.

No era frugal, gastaba dinero en cosas que disfrutaba, no le decía que no a un fin de semana con mis amigos en Melbourne, era generosa y disfrutaba comprar cosas para otras personas también. No era el tipo de persona que oirías quejarse respecto a mi situación económica, pero tampoco me estaba permitiendo tener dinero.

ASÍ QUE ¿QUÉ ES TENER DINERO?

Tener dinero se refiere a que permitas que el dinero esté en tu vida de tal forma que siempre tengas, y que siempre contribuya a la expansión de tu vida. No es hacerlo significativo. Es jugar con el dinero y permitir la contribución y la disposición de recibir.

Un gran ejemplo de ello es que solía usar joyería brillante de fantasía. Se veía muy bien, tenía lindas cosas, pero valían 50% menos de lo que pagaba por ellas en cuanto salía de la tienda. Un día, compré un collar hecho de perlas Mabe. Estas perlas son extremadamente raras, ya que el mar ya no las produce. El collar, por el valor intrínseco y lo raro que es en el mundo, sigue incrementando su valor. Tener ese collar en mi vida no sólo tiene un valor monetario que es más de lo que yo pagué, sino que también es maravilloso y una bella pieza de joyería que tengo en mi vida. Es estéticamente bello y me siento maravillosa cuando lo porto. Esa es la energía que el tener dinero crea en tu vida.

Tener dinero en tu vida no es sólo acerca de crearlo y nunca gastarlo. Cuando estás dispuesto a realmente tener dinero en tu vida, también estás dispuesto a usarlo para crear más.

Un amigo que conozco siempre está tratando de *ahorrar* dinero para el negocio que trabaja. Es brillante con la tecnología y estaba trabajando con una compañía grande, viajando con ellos y cuidando las necesidades audiovisuales a donde fuera que viajaran. Después de cada evento, guardaba el equipo, lo embarcaba al siguiente país y ciudad y eso creaba mucho trabajo para él. En algún momento, el dueño de la compañía le dijo "quiero que compres más equipo para tenerlo en Europa, América, Australia y Asia. Así no tendremos que llevarlo a todos los lugares a los que viajamos, y no tendremos que ocuparnos de ello." Dos años pasaron y él no había comprado nada. Nadie se había dado cuenta hasta que un día el dueño dijo "Te pedí hace dos años que compraras más equipo. ¿Qué pasó?"

Él dijo: "Estaba tratando de ahorrarte dinero porque el equipo es muy caro." Voltea a ver la energía de tratar de ahorrar dinero al empacar el equipo a todos estos países. Ahora ve la energía de tener equipo disponible en cada país. ¿Cuál energía conduce a que crezca el negocio y que se expanda con facilidad?

Eres alguien que pregunta "¿Cómo puedo ahorrar dinero?" ¿Cuál es la energía de esa pregunta? ¿Hay energía generativa eh? ¿Parece que expande tus elecciones o las limita? Ahora, ve la energía de esta pregunta "¿Qué tomaría para generar más dinero?" "¿Qué energía requiero para crear esto con facilidad?"

¿Hay algún espacio donde estás tratando de ahorrar dinero? Prueba preguntar: "Si gasto este dinero que estoy intentando ahorrar ¿creará más para hoy y para el futuro?" No estoy diciendo que no salgas y te compres un BMW convertible si lo quieres. Lo que estoy sugiriendo es que veas lo que va a generar más para ti. Si algo va a hacer eso, entonces gasta el dinero.

¿Cómo sería tener dinero en tu vida que estuviera para contribuirte? ¿Cómo sería el tener cosas en tu vida que tuvieran un valor intrínseco y que incrementarán de valor con el tiempo?

Imagina dos casas: una que está amueblada con todo lo que hay en un una mueblería moderna, barata. Está limpia y moderna y se ve justo como en los catálogos, y todo vale menos del 50% de lo que tú pagaste por ello. La otra casa está amueblada con todo tipo de cosas bellas - plata, cristal, antigüedades, pinturas, mobiliario, que no sólo tienen un valor único y estético, sino que también tienen el bono de valer por lo menos lo que pagaste por ellos y más. ¿Cuál creará una mayor sensación de riqueza y belleza en tu vida? ¿Qué tal si pudieras usar la creación de lo estético y de tener todo tipo de cosas en tu vida de tal forma que sumaran a que tuvieras más dinero, ahora y en el futuro? No es acerca del juicio sino de la conciencia y de crear un futuro que deseas tener.

¿Estarías dispuesto a tener dinero en tu vida constantemente, y que continuara creciendo?

En la parte dos del libro, te daré una serie de herramientas prácticas para tener dinero en tu vida. Tener dinero es realmente sencillo. ¿Estás dispuesto a tener dinero y que te contribuya de una forma totalmente diferente?

DEJA DE EVITAR Y REHUSAR DINERO

¿Hay algún lugar en tu vida en donde estás rehusando o evitando ver tu situación económica? ¿Tienes muy buenas razones para evitar hacer cosas sencillas y fáciles para crear más dinero? En cualquier lugar en donde evitamos ser totalmente honestos es donde cortamos y rehusamos lo que nos daría más posibilidades y cambio fácil.

Estaba hablando con un cliente que dijo "Pienso en mi deuda casi todos los días, y después la olvido esperando que desaparezca." Muchos de nosotros operamos de esa manera.

Cuando estaba endeudada, persistentemente y constantemente evitaba ver lo que estaba pasando con mi situación financiera hasta que elegí escuchar a Gary y Dain y empecé a usar las herramientas de Access Consciousness. Evitar tener claridad con el dinero nunca crea un lugar en donde puedas voltear a ver las elecciones que realmente tienes, siempre crea esta área vaga y poco clara en donde no te empoderas a ti mismo a ver lo que está pasando o lo que puedes hacer para cambiarlo.

Una amiga mía es brillante al enseñarle a sus hijos respecto al dinero. Una vez le dió a su hijo de 10 años $20 para él y para que sus amigos comieran juntos. Después supo que la mamá de otro de los niños había pagado. Mi amiga le preguntó a su hijo por qué no había pagado y él admitió que había perdido el dinero antes de llegar allá. Entonces le pidió que por favor le dijera a la otra mamá que él iba a pagar la comida pero que había perdido el dinero. Ella sabía que no había sido una molestia para la otra mamá el haber pagado, no era para culpar a nadie. Era para reconocer lo que había sucedido, no por tener un punto de vista o juicio respecto a esta situación, pero para que su hijo reconociera lo que él había creado, en lugar de pretender que no había pasado nada. Tienes que reconocer, no esconder o evitar. No se trata de juzgar. Si estás dispuesto a no ignorarlo, estarás dispuesto a estar más consciente en el futuro. Y con esa conciencia, te empoderas a tí mismo a elegir las cosas que realmente quisieras hacer, que crearían más en tu vida, y no menos.

"¿Estás viviendo en un Universo de No-Elección?"

Durante años evité tener una relación. Yo decía "Lo mío no son las relaciones, no voy a tener una relación, nunca me voy a casar, nunca voy a tener hijos." Observé a mi alrededor y no veía ninguna relación que funcionara. No podía ver gente que pareciera estarse divirtiendo en su relación, así que mi punto de vista (conclusión) era "¡No voy a entrar en una relación!"

Con esa decisión, estaba cerrando cualquier otra cosa que fuera posible. Estaba creando un universo de no-elección y una realidad de no-elección. Un día me di cuenta lo que estaba eligiendo y empecé a preguntarme "¿Qué tal si estuviera dispuesta a estar en una relación? ¿Qué tal que estuviera dispuesta a recibir esa posibilidad?" Deje ir todo lo que había decidido y concluído acerca de las relaciones, porque reconocí que todas esas suposiciones estaban creando enormes limitaciones para mi. En cualquier lugar en donde entramos a una conclusión, creamos limitaciones, que nos separan de las infinitas posibilidades que están disponibles. Lo chistoso es que ahora tengo una relación con una pareja fabulosa y él vino con un hijo y un perro también, familia instantánea. Y todos han contribuido a mi vida en formas que nunca pude haber imaginado. Si continuara rehusando la posibilidad de una relación, no hubiera podido recibir la grandiosa contribución, generosidad y energía que son para mi, incluyendo el crear más dinero y riqueza.

De lo que estoy hablando aquí es ver la energía de darte a ti mismo la elección, crea en tu vida. Cuando evitas algo, te rehúsas o no estás dispuesto a tener algo, no te permites tener más elecciones y crear más. Tienes que estar dispuesto a ver dónde estás creando el universo de no-elección, y estar dispuesto a cambiarlo.

"¿Qué sería lo peor que pudiera pasar si no evitaras el dinero?"

¿Evitas cosas nuevas que pudieran generarte dinero? Cuántas situaciones se te han presentado en donde pudieras haber generado dinero y dijiste "No, no tengo tiempo para eso" No podría ir ahí. No podría hacerlo" ¿Alguna vez te han pedido hacer algo y pensaste "no tengo la capacidad para hacer eso" así que te rehusaste y lo evitaste en lugar de darle una oportunidad? Qué tal si te hubieras preguntado "¿Qué es lo peor que pudiera pasar si no evitara esto y solo lo eligiera?" La elección permite tomar conciencia.

Si estuvieras evitando hablar en público y preguntaras "¿Qué es lo peor que pudiera pasar si hablara en público?" Pudieras preguntar "Bueno, podría congelarme y olvidar lo que iba a decir. ¿De verdad sería tan malo?" Y quizá después digas "Si eso pasa, podría quedarme parado, ver al público y sonreir." A las personas les encanta la vulnerabilidad de ser tú, y si no estás evadiendo nada, es más sencillo ser tú en cualquier situación. Puedes tener más de ti, sin importar lo que esté pasando, porque no tienes que girarte y dar vueltas o esconderte a ti mismo para evitar cualquier cosa. Lo que definitivamente creará más dinero en tu vida, es volverte más tú.

¿Estás evadiendo tu deuda? ¿En dónde estás evitando el dinero? ¿Qué maravillosas, grandiosas y creativas partes estás rehusando que se presenten en el mundo al estar evitando esto? ¿Qué has decidido que es lo peor que pudiera pasar si no lo evadieras? ¿Qué pudiera cambiar si estuvieras dispuesto a tener total conciencia de tu realidad financiera?

GRATITUD

Una de las herramientas más mágicas para cambiar cosas en la vida, es la gratitud.

La gratitud frecuentemente es pasada por alto, pero tiene el poder de cambiar tu punto de vista dinámicamente. La gratitud tiene este efecto natural de sacarnos del juicio. La gratitud y el juicio no pueden coexistir. No puedes juzgar y tener gratitud. ¿Has notado cómo es imposible estar agradecido cuando estás juzgando algo o a alguien? Cuando tienes gratitud, sales del juicio. Y también, como lo hemos platicado previamente, el juicio es como creamos nuestras más grandes limitaciones.

Cuando recibes dinero ¿cuál es tu punto de vista instantáneo? ¿Estás agradecido por cada dólar, cada centavo que entra en tu vida o tiendes a pensar "Eso no es mucho" "Esto va a cubrir esta cuenta" "Quisiera tener más"? Qué tal si siempre que entre dinero, y siempre que salga dinero, estuvieras agradecido por ti mismo por crearlo, por el dinero por venir y por lo que sea en que lo estás gastando? ¿Cómo sería si en verdad tuvieras más gratitud con el dinero?

¿Qué tal si por cualquier dinero que entrara, practicaras diciendo "Gracias ¡tengo tanto gusto que hayas venido! ¿Puedo tener más por favor?" Y qué tal si por cada dinero que gastaras, y por cada cuenta que pagaras estuvieras agradecido y dispuesto a pedir más: "¡Bien! ¡Estoy muy contento de tener electricidad un mes más! ¿Y qué tomaría para que este dinero regresara a mi multiplicado por diez?"

¡Me encanta hacer esa pregunta! Una vez le pagué a una mujer que me dió un masaje de pies increíble. Estaba tan agradecida por ella así que le dí una propina. Cuando le entregué el dinero, juguetonamente le dije "¿Qué tomaría para que esto regresara a mi multiplicado por diez?" La mujer me vio con extrañeza. Después vino hacia mí y me dijo "Pensaba que no se podía pedir que el dinero regresara a mí cuando lo usara para pagar. Pensé que sería algo irrespetuoso o algo así. Pero la forma en que lo dijiste, fue con tanto agradecimiento y gozo, que fue una gran invitación. ¡Voy a usarlo con todo de ahora en adelante!"

Cuando estás dispuesto a jugar en con el dinero, sé agradecido con el dinero y sé agradecido por lo que has creado y no lo juzgues, entonces más vendrá.

> ## "¿Qué tal si estuvieras dispuesto a estar agradecido por ti también?"

Cuando no reconoces y tienes gratitud por el dinero que entra y sale de tu vida, estás realmente rehusando reconocerte y tener gratitud por ti. ¿Qué tal si empezaras a reconocerte por todo lo que has creado, lo que sí tienes en lugar de enfocarte en lo que no tienes? Cuando pones atención en lo que está funcionando en tu vida, puedes crear más de ello, y se empezará a mostrar en más lugares. Si pones tu atención en lo que ves que hace falta, sólo verás carencia, y la escasez crecerá.

Tienes que tener gratitud por todo lo que creas, lo bueno, lo malo y lo feo. Eso quiere decir que nunca concluyes, no importando lo que se presente. ¿Cuántas elecciones has juzgado porque decidiste que perdiste dinero, o tomaste la elección equivocada? ¿Cómo sabes si esa elección no fue la situación exacta que te permitirá crear algo aún más grandioso en el futuro? Si lo juzgas, no podrás ver el regalo de tu elección, y no te permitirás recibir las posibilidades que ahora están disponibles gracias a ella. Si tienes gratitud, puedes tener una realidad totalmente diferente.

Estoy agradecida por todas las personas con las que trabajo en el Gozo de los Negocios (uno de los negocios que tengo que me genera dinero y que cambia el mundo). Generamos negocios desde el gozo y la curiosidad de lo que es posible crear, no por tomar la decisión correcta o evitar la incorrecta.

Cuando alguien elige algo que no funciona tan bien como quisieran, no renunciamos al gozo de crear en el negocio y la gratitud el uno por el otro porque no sucedió de la forma en la que esperábamos. Preguntamos "¿Qué está bien de esto?" y vemos qué más es posible que no hemos considerado. En el momento en que juzgas, disminuye las posibilidades. La gratitud, en cambio, las incrementa.

Si tienes gratitud por lo que las personas han creado, más se podrá presentar en tu vida y en la de ellos. Si estás gozoso con lo que estás creando y haciendo, más dinero vendrá.

"¿Estás agradecido cuando es demasiado sencillo?"

Hace unos años fui a un evento de antigüedades manejado por un amigo mío. Le ofrecí ayudarle a tomar el dinero de las cosas que las personas compraban, escribiendo recibos, administración general. Lo estaba haciendo porque deseaba contribuirle a mi amigo en la expansión de su negocio.

Después del evento, recibí un correo en donde me decía que me iba a pagar un porcentaje de las ventas. Le respondí "Gracias, pero no quiero dinero por eso. En serio, me dio mucho gusto contribuir."

Mi amigo me respondió diciendo "Agradece el dinero."

Pensé "Bueno, estoy agradecida por el dinero" pero también podía ver en donde tenía la falta de disposición para recibirlo, y me di cuenta que mi punto de vista era que no había trabajado lo suficientemente duro para recibir el dinero. Estar ahí había sido como una fiesta. Estaba tomando champaña de una copa de plata, haciendo cobros de tarjetas de crédito a través de una máquina y haciendo recibos. Me había divertido. ¿Y me iban a pagar por ello?

Le platiqué a Gary Douglas acerca de mi cambio de perspectiva y cómo parecía haber abierto tanto en mi mundo, y él me respondió "Cuando el dinero viene a ti fácilmente y estás agradecida, estás en camino de tener un futuro con más posibilidades."

¿Qué grandiosas futuras posibilidades podrías crear para tu vida al permitir que el dinero entre con facilidad y gozo a tu vida, y al tener gratitud por cada centavo que se presente?

Capítulo 3

¿Cómo creas una nueva realidad financiera, inmediatamente?

¿Qué tal si no tuvieras ningún punto de vista respecto al dinero? ¿Qué tal si no tuvieras juicios? ¿Sin desastres financieros? ¿Sin una realidad financiera limitada? ¿Qué tal si despertaras y empezaras fresco cada día? ¿Qué crearias? ¿Qué eligirías?

Si realmente deseas crear una realidad financiera que es diferente y más grandiosa a la que actualmente tienes, vas a tener que voltear a ver las elecciones que estás haciendo, y sino te están llevando a la dirección que realmente deseas ir, ¡cámbialas! Cada elección que tomas, crea algo. ¿Qué deseas crear con tus elecciones?

Es importante recordar que no se trata de tomar la elección correcta o incorrecta. Se trata de tomar *diferentes* elecciones.

Hablo mucho acerca de los negocios con personas de todo el mundo. Cuando se trata de elegir en los negocios realmente funciono desde "No hay elecciones correctas o incorrectas, sólo hay elección." Algunos de mis peores "errores" en los negocios fueron los más grandes regalos para mi, porque me permitieron ver lo que podía ser y hacer diferente que funcionaría en el futuro, que quizá me podría haber tomado más tiempo darme cuenta de ello, sino hubiera elegido eso. Puedo ver la contribución de todas mis elecciones son para crear un futuro más grandioso porque no me quedo atorada en la mentalidad de "Oh, esta elección estuvo mal y otra elección hubiera estado bien." ¿Qué tal que nunca más tuvieras que elegir lo correcto o evitar equivocarte?

Como mi sabio amigo Gary a menudo pregunta "¿Preferirías tener la razón o ser libre?" ¡No puedes tener las dos!

Si estás dispuesto a estar equivocado, y renuncias a la necesidad de tener la razón, puedes elegir cualquier cosa y crear cualquier cosa.

"¿Luchar o no Luchar?"

Hace años iba a comer con unos amigos y estaba de malas e irritable. Al ir caminando hacia el restaurante, un amigo me preguntó "¿Por qué estás eligiendo eso?" Yo le dije "¡No lo estoy eligiendo!" y continué caminando, todo el tiempo pensando "¡No estoy eligiendo esto!" ¡No lo estoy! Espera ¿Estoy eligiendo esto? ¿Lo puedo cambiar?" Mi mundo instantáneamente empezó a sentirse más ligero. Al momento de entrar al restaurante le dije a mi amigo "Wow. Ya lo veo. Estoy eligiendo esto. *¡Estoy* eligiendo estar de malas!"

Muchas personas piensan que no tienen forma de elegir estar tristes, contentos, molestos, relajados. Nos enseñan que circunstancias externas crean la forma en la que nos sentimos respecto a las cosas, pero realmente, es sólo una elección. Tienes que enseñarte a ti mismo a reconocer que puedes elegir, incluso en situaciones donde normalmente asumes que no ves las opciones. ¿Qué tal si pudieras empezar a ver los lugares en donde pensaste que no tenías elección y preguntas "Ok, si tuviera que ejercitar mis músculos de la elección en esta situación, en lugar de pretender que no tengo ninguna ¿Qué podría elegir justo ahora?"

Es lo mismo con el dinero. Si estás molesto con el dinero o estás luchando con el dinero, ten presente que esa es tu elección; lo estás creando de esa forma. ¡Y puedes elegir algo más!

Tampoco importa si tienes un negocio establecido o un trabajo asalariado, ya sea que seas padre en casa, estés buscando trabajo o tengas una pensión. No tienes que tener mucho (o algo) de dinero para empezar a cambiar tu realidad financiera, y tampoco tienes que tener todo resuelto, sólo tienes que empezar. Sólo tienes que elegir.

En este capítulo del libro, veremos más de cerca los elementos que te permitirán dejarte de meter el pie y te permitirá tener mayor claridad y facilidad eligiendo diferentes cosas con el dinero: respaldarte, abandonar tus historias y razones de no tener dinero, siendo honesto contigo mismo y confiando en tu saber.

ESTAR DISPUESTO A HACER LO QUE SE REQUIERA

Las herramientas de dinero en este libro son fantásticas, pero para usarlas efectivamente, para cambiar lo que no estás funcionando, tienes que respaldarlo de tres formas diferentes:

1. Tienes que estar comprometido con tu vida.
2. Tienes que demandarte a ti mismo que serás o harás lo que sea que se requiera.
3. Tienes que estar dispuesto a elegir, perder, crear y cambiar cualquier cosa.

"¿Qué tal si hacer el compromiso de nunca renunciar a ti fuera lo más gentil que pudieras hacer?"

El compromiso con tu vida no quiere decir que te metas en una camisa de fuerza, o que vayas en un camino determinado por siempre. Se refiere a nunca renunciar, nunca rendirte, nunca ceder. ¿Estás dispuesto a comprometerte contigo? ¿Estás dispuesto a nunca darte por vencido contigo?

Mi pareja, Brendon y yo estamos comprometidos con nuestras vidas y a crear una relación que funcione para nosotros. Hacemos esto al elegir nuestra relación cada día en lugar de hacerlo un compromiso que tiene que ser mantenido para siempre. Elegimos crear futuros más grandiosos para los dos, pero nunca esperamos que lo que sea que elegimos esté fincado y es incambiable. Cuando estábamos pensando en comprar una casa juntos, inicialmente me resistía ya que había concluido que tendríamos que pasar el resto de nuestras vidas juntos, desde la necesidad. Brendon dijo "Siempre podemos vender la casa" y yo dije "¡Ah! ¡buen punto!" Ser dueño de una casa no quiere decir que tengamos que estar juntos por siempre, sigue siendo una elección, es un acuerdo de negocios. Estar comprometidos con nosotros mismos no se trata de comprometerse a nunca cambiar la elección. Es hacer el compromiso de que nos honraremos a nosotros mismos y mutuamente lo suficiente para permitirnos cambiar la elección cuando algo ya no funcione.

Comprometerte contigo se refiere a estar dispuesto a tener una aventura de vivir, de seguir eligiendo lo que funciona para ti, incluso si es incómodo, e incluso si eso implica hacer cambios y elecciones que nadie (incluyendo tu pareja, tu familia o tus amigos) entiende. Comprometerte contigo puede llevarte más allá de tu zona de confort, especialmente ya que la mayoría de nosotros estamos bien entrenados a renunciar a lo que podríamos realmente elegir para poder encajar con todos los demás. Tienes que estar dispuesto a ser tan diferente como en verdad lo eres, no importa lo que las demás personas piensan, digan o hagan.

"No puedes demandar de nadie ni de nada excepto de ti mismo."

Demandar de ti mismo es darte cuenta que sin importar qué, vas a tener lo que deseas en tu vida.

Empiezas a crear tu vida cuando finalmente demandas "No importa lo que tome y no importa cómo se vea, voy a crear mi vida. No voy a vivir en base al punto de vista o realidad de nadie más. ¡Voy a crear la mía!"

Hace años cuando empecé a viajar para las clases de Access, no siempre podía pagar por la estancia, así que me quedaba en casa de otras personas. Una vez, me quedé en la casa de alguien y la casa no estaba muy limpia. En cuanto salí de la ducha, sentí que tenía que volver a darme otra. Demandé "Esto no va a funcionar. Tengo que poder crear más dinero para que pueda elegir donde deseo quedarme."

Empecé a quedarme en cuartos de hotel con otras personas, compartiendo el costo. Después reconocí que tampoco era lo que deseaba. Me gustaba mucho quedarme yo sola. Me encantaba tener mi propio espacio. Hay una energía que creas cuando haces la demanda y no te vas a una realidad de escasez y duda.

Muchas veces he demandado que diferentes cosas se presenten pero realmente no sabía cómo se iba a ver. Y cada vez, de cualquier forma hice la demanda: "no importa lo que se requiera" y "no importa cómo se vea." No sabía exactamente cómo iba a generar el dinero para quedarme en los hoteles por mi cuenta cuando viajara pero sí sabía que estaba dispuesta a hacer lo que se requiriera para crearlo.

"Mantente dispuesto a elegir, perder, crear y cambiar cualquier cosa."

Cuando estás dispuesto a elegir algo diferente estás dispuesto a estar consciente y recibir la información de las personas y las cosas alrededor de ti, y tienes la habilidad para cambiar en un nanosegundo cuando eso creará más para ti. Es ¡Oh! ¡Más información! Ok, vamos ahí." Al elegir, podrás descubrir que las cosas son diferentes a lo que pensaste en un principio. ¿Estás dispuesto a estar consciente de nueva información, de lo que requiere un cambio, o tratas de mantenerte en lo que elegiste primero, a pesar de que ya no esté funcionando? ¿O alteras un poco las cosas y después te preguntas porqué no está cambiando?

Hacer pequeños cambios pero esencialmente hacer lo mismo (por ejemplo vestir la misma playera cada día y tratar que se vea un poco diferente en vez de simplemente cambiarte la playera) no te dará un resultado diferente.

La definición de Einstein de locura era hacer lo mismo esperando un resultado diferente. Necesitas cambiar cómo estás funcionando actualmente para crear un resultado diferente.

Nos detenemos a nosotros mismos de estar dispuestos a hacer lo que sea que se requiera para tener una realidad y una realidad financiera diferentes cuando operamos como si fuera algo fijo e incambiable acerca de ciertas cosas en nuestras vidas. Creamos algo incambiable cuando pensamos "así es como son las cosas."

¿Qué has creado como incambiable? ¿Para ti qué está sentado en piedra? ¿Qué ves como valioso, permanente y duradero? ¿Ser dueño de una casa? ¿Tener un matrimonio largo? ¿Tener tu propio negocio? ¿Quedarte en un trabajo? ¿Tener deuda?

¿Estás aferrándote a cualquier parte de tu vida como si fuera una estructura permanente? Yo me aferré a un negocio que había creado mucho más tiempo de lo que hubiera deseado seguir involucrada. Intenté hacer las cosas de diferente forma en mi negocio cuando empezó a fracasar, pero no estaba dispuesta a hacer algo totalmente diferente y vender mi negocio porque pensé que tenía que hacer lo que todos te dicen que tienes que hacer y mantener el negocio abierto lo más posible.

¿Qué has decidido que no tienes la habilidad para cambiar? ¿Te sientes sin elección respecto a tu situación financiera, tu falta de dinero, tu deuda o tus prospectos financieros? ¿Te has comprometido a mantener las estructuras financieras que has creado en tu propio universo, en lugar de hacer algo completamente diferente? ¿Sigues intentando cambiar pero nada parece dar resultado? ¿Qué es lo que no estás haciendo que si lo hicieras diferente lo cambiaría todo?

Estaba preguntando eso en una clase y alguien dijo "La mayoría del tiempo, sólo actúo cuando realmente me duele, y ya que salí del dolor, dejo de avanzar. Ayer me di cuenta de la cantidad de dinero que tengo no será suficiente para pagar las cuentas que están por venir. De repente sentí la urgencia y decidí hacer algo al respecto. Siempre había funcionado así. No tomo acciones hasta que *tengo* que hacerlo. Es como si sólo me motivara el dolor." Si ésta persona estuviera dispuesta a hacer y ser diferente al elegir, ella podría ver la forma en que funciona en general con el punto de vista de "la motivación de la escasez" y preguntar "Espera, esto es lo que siempre he hecho. ¿Qué tal si empezara a funcionar de una forma completamente diferente? ¿Qué crearía más para mí?" Pero si ella sólo está dispuesta a preguntar "¿Qué tengo que hacer para pagar mis cuentas en esta ocasión?" sin voltear a ver la estructura desde la cual está funcionando, entonces sólo estará haciendo las cosas de forma diferente, y no podrá cambiar su realidad con el dinero a largo plazo.

Otra persona dijo "Me es difícil controlar la forma en que uso mi tarjeta de crédito. Parece que usar la tarjeta es la única forma en que puedo tener dinero. Siento que no tengo ninguna otra elección." Si esa persona dijera "No puedo usar mi tarjeta de crédito hoy, necesito obtener un préstamo", eso sería hacer lo mismo, sólo de forma diferente. Si ellos demandaran "Voy a crear más dinero ahora y en el futuro. Ya no viviré de la misma forma. ¿Qué necesito poner en acción en este momento para cambiar esto?" estarían haciendo una diferente elección que les permitiría crear más allá del punto de vista limitado respecto al dinero en que han estado atorados.

Tienes que estar dispuesto a perder todos esos lugares, todas esas estructuras y todas esas cosas que actualmente crees que son permanentes e incambiables. En verdad, nada es incambiable.

Yo sé que en cualquier lugar en donde esté creando algo permanente en mi vida, puedo elegir algo más. Puedo decir "Eso no funciona para mí. Ya no voy a elegir eso."

¿Estás dispuesto a renunciar a las cosas que has decidido que tienes que tener, que tienes que hacer y que no puedes o no debes perder? ¿Qué tal si estar dispuesto a perderlos fuera el inicio de la elección total? ¿Qué tal si estuvieras dispuesto a perder cada centavo que tienes? ¿Qué tal si pudieras crear mucho más dinero de lo que has tenido antes, con total facilidad?

Si has estado dispuesto a cambiar algo en tu vida y no está cambiando, voltea a ver en donde quizá estás haciendo lo mismo de forma diferente, en lugar de realmente elegir hacer algo completamente diferente. ¿Qué tendrías que ser o hacer diferente para poder cambiar tu realidad financiera?

RENUNCIANDO A TUS LÓGICAS Y LOCAS RAZONES DE NO TENER DINERO

Quizá hayas notado que he usado palabras como "conclusión", "decisión" y "juicio" más de una vez hasta el momento. ¿Sabías que *concluir* viene de una palabra que quiere decir "callarse o cerrarse"? Eso es exactamente lo que la conclusión hace en nuestras vidas. Te encierra en un juicio o una decisión que has tomado y te excluye de ti y de recibir cualquier otra posibilidad o de ver cualquier otra elección. Es como meter tu pie en una cubeta de cemento mojado y después tratar de ir a cualquier otro lado. No lo puedes hacer. Has concluido que es donde estás y no puedes cambiarlo, a menos que dejes ir ese punto de vista.

Hemos comprado y vendido millones de historias respecto al dinero. Muchas de esas historias realmente pensamos que son correctas y reales, y esas son a las que nos encanta regresar y nos las volvemos a contar una y otra vez en lugar de simplemente preguntar "Wow, eso es una historia interesante que me estoy comprando. ¿Qué tal si no fuera cierto? ¿Me pregunto qué más es posible aquí?

Cuando un amigo mío era un niño pequeño, sus papás solían proyectar sobre él que las personas ricas no eran felices. Lo llevaban a ver casas muy lindas en su vecindario y él preguntaba "¿Por favor nos podemos mudar aquí?" y sus papás le respondían "No, no podemos costearlo. Y de todas maneras las personas ricas no son felices." Su respuesta era "Bueno ¿Por qué no podemos intentarlo y ver?" También le decían que no debería que ir a comer a la casa de una familia mexicana vecina porque ellos tenían menos dinero que ellos. Claro que cuando esa familia compró el terreno de junto y empezó a construir departamentos en él, mi amigo se dio cuenta que su madre los había juzgado de tener menos por su origen y porque tenían gallinas corriendo por el patio trasero y cultivaban sus propias frutas y verduras.

Prácticamente todos tienen historias como esa que pueden contar, y otros locos puntos de vista que tienen pasando por sus cabezas que los detienen de tener una realidad financiera diferente.

¿Recuerdas la historia que te conté sobre mi padre? Él solía decirnos que moriría feliz cuando supiera que nosotros (mi hermano, mis hermanastras, mi madre y yo) estuviéramos financieramente seguras. No quería que mi Padre muriera y en algún lugar de mi mundo pensé que si creaba deuda, entonces él no se iría. Ese era un punto de vista bastante loco y después me di cuenta de lo que había estado haciendo, lo solté y cambié lo que estaba haciendo con el dinero y empezó a presentarse en mi vida de las formas más extrañas e inesperadas.

¿Qué realidad financiera te fue proyectada cuando eras niño? ¿Qué locos puntos de vista has tomado y te has comprado respecto a tener dinero, no tener dinero, crear dinero, perder dinero y más? ¿Qué tal si pudieras elegir dejar ir todo y todo lo que experimentaste o creíste en el pasado acerca del dinero y ya no tuvieras que continuar proyectándolo hacia tu futuro?

"¿Es momento de soltar el abuso financiero de ti?"

Los papás de un amigo solían decirle, desde que tenía tres o cuatro años, que era *su* culpa que ellos no tuvieran dinero. Creció creyendo que necesitaba crear dinero para sus papás y hermanos. Los hijos están conscientes y quieren contribuir. Cuando hay discusiones, preocupaciones o trasfondos energéticos respecto al dinero en la casa, sin mencionar los descarados comentarios abusivos que los hijos guardan consigo.

El abuso financiero puede tomar diferentes formas pero frecuentemente resulta en que te sientas como si no merecieras las cosas más básicas de la vida. Puede mostrarse como una sensación de escasez puedes sentir que eres un dolor financiero o un peso.

El abuso financiero también puede tomar la forma de un padre tratando de mantener a un hijo dependiente bajo su control. Estuvimos hablando de esto alguna vez en clase, y alguien dijo "Me acabo de dar cuenta que mi madre quiere que yo dependa de ella financieramente para que ella se pueda sentir digna como madre.

Veo cuánto de mi realidad respecto al dinero está basado en el deseo y mi interés de cumplir su deseo de sentirse útil y vital en ese rol. Y para que ella pueda sentir eso yo tengo que ser inútil y dependiente."

Si alguien requiere que dependas de ellos por el dinero ¿es esa una forma de abuso? Si, lo es. ¿Tienes que seguir viviendo desde esa historia? No, no tienes porqué. Hay una elección diferente. Puedes reconocer que has vivido abuso financiero en el pasado, y elegir que no domine tu vida. No tienes que hacerlo real, tienes más o menos un millón de otras elecciones para tu realidad con el dinero ¡por lo menos! Y prácticamente todas son mucho más divertidas. ¿Qué tal si eligieras alguna de ellas?

"¿Estás usando la duda, el miedo y la culpa para distraerte de crear dinero?

¿Dudas que puedas hacer dinero? ¿Tienes miedo de que lo perderás? ¿Te sientes culpable o te culpas a ti mismo por la deuda? ¿Te enojas por tu actual estado financiero? ¿Te obsesionas y te fijas en los problemas, en lugar de ver las posibilidades cuando se trata al dinero? Todos estos son ejemplos de *distractores* que usamos para sacarnos del estar presente con las diferentes elecciones y posibilidades. Cada "distractor" que creamos son las pegajosas, emociones negativas en las que pasamos nuestro tiempo atorados, esperando poder salir y firmemente convencidos de que no podemos escapar. Lo fijamos en una muy buena historia que explica por qué tienes eso que te está pasando, para que nunca tengas que cambiarlo. Dirás cosas como "Tengo miedo porque…" o "Dudo que pueda hacer eso porque…" Cada "porque" es una forma muy astuta de comprarte la distracción con una gran historia para darte por vencido contigo mismo, para que no tengas que cambiar lo que está pasando en esa parte de tu vida.

Cuando te quedas atorado o rebasado por estos distractores, es una elección que estás usando para juzgarte en lugar de elegir una posibilidad diferente. ¿Qué tal si empezaras a reconocer que las distracciones de la vida fueran solo eso, distracciones de vivir tu vida y crear algo diferente? Puedes empezar a cambiar esto al reconocer los pensamientos distractores y las emociones cuando surjan, y cuando lo hagan, sólo elige de nuevo, elige hacer preguntas, elige tener gratitud en lugar de juicio, elige reconocer que no son verdaderos o reales, es un interesante punto de vista. No tienes que seguir reproduciéndolos una y otra vez en tu cabeza o en tu vida, a menos que te estés divirtiendo mucho más estando distraído en lugar de crear una vida y el dinero que deseas.

SIENDO BRUTALMENTE HONESTO CONTIGO MISMO (MÁS GENTIL DE LO QUE SUENA)

Puedes pedir que algo diferente se muestre, puedes pedir crear tu propia realidad financiera, puedes pedir más dinero, más diferentes tipos de moneda, más flujos de dinero, que más de todo venga, y sin embargo cuando pasas tanto tiempo negándote a ti mismo, juzgándote, y rehusando reconocer la contribución que eres en el mundo, no estás siendo honesto contigo mismo, estás perpetrando grandes mentiras en contra tuya para comprobar que no eres tan genial como en verdad lo eres.

Básicamente, en cualquier lugar en donde piensas que estás mal es donde estás rehusando ser fuerte. No es verdad que nos hace falta algo o que somos incapaces, pero es verdad que rehusamos ser el poder y la potencia que en realidad somos capaces de ser.

Una vez estaba manejando con Gary y Dain a una clase y estaba muy enojada, pero estaba pretendiendo no estarlo. Estaba manejando muy poco gentilmente, pasando por alto los topes en el camino, un poco demasiado rápido y Gary y Dain estaban pegándose en la cabeza con el techo del automóvil cada vez que pasaba por esos topes. Rehusaba hablar al respecto pero Gary me habló temprano por la mañana al día siguiente, a las 6 am y me dijo "Ven a la habitación del hotel y resolvamos esto." Hablé con ellos por horas y horas acerca de porqué estaba enojada. Seguía diciendo "Me estoy juzgando a mi misma, estoy enojada conmigo." Pero nada cambiaba o se aligeraba. No importaba cuántas veces lo dijera, no parecía ser cierto. Continuamos hablando y me hicieron más preguntas, y me di cuenta que en realidad los estaba juzgando a ellos. Decidí que ellos eran estúpidos por haberme contratado. Cuando estuve dispuesta a ser vulnerable (y si fue incómodo en ese momento, pero estoy tan contenta de haberlo hecho) pude ver lo que estaba haciendo y pude salir del enojo y aligeró las cosas para todos. Al juzgarlos de estúpidos, no sólo no estaba dispuesta a recibir la contribución que ellos deseaban ser para mi, tampoco estaba dispuesta a ser la contribución que yo era para ellos, no estaba permitiendo que el negocio creciera. Cuando dejé de juzgarlos, mucho más fue posible.

"¿Estás dispuesto a no tener barreras?

Una de las cosas que prevaleció más después de esa conversación fue cuán incómoda me sentía. Le dije a Gary "Ahora me siento completamente desconectada de ti y de Dain". Gary me preguntó "¿Has creado tu conexión a nosotros a través del juicio?" Me di cuenta que así era. Después él dijo "Bueno, ahora tienes la oportunidad de crear tu conexión con nosotros a través de la comunión."

La mayoría de las personas crearán sus conexiones basadas en el juicio. Los juicios son barreras y paredes que nos permiten escondernos de nosotros mismos y de los otros.

Con la comunión hay un espacio de no-juicio total. Y eso es totalmente diferente. Para mí al principio fue intensamente incómodo. Me sentía tan vulnerable. Todas mis barreras estaban abajo, era como si pudieran ver a través de mí.

Nos enseñaron que los juicios, barreras y paredes que ponemos nos van a proteger pero en verdad, nos esconden de nosotros mismos. Si estás dispuesto a no tener juicios, barreras y a tener total vulnerabilidad, empezarás a ver lo que es posible para ti que has estado rehusando reconocer.

Tienes que estar dispuesto a ser brutalmente honesto con todo lo que estás creando en tu vida. Es la única forma en que puedes cambiar algo; el tener el valor de reconocer "Ok, esto no está funcionando." Tienes que estar dispuesto a tomar conciencia de lo que realmente está pasando para ti. Crear tu propia realidad financiera se trata de tener conciencia de lo que en realidad es y después elegir lo que va a crear más para ti.

¿Qué tal si ser brutalmente honesto contigo fuera tener la vulnerabilidad contigo de jamás volverte a mentir?

Tener miedo es una de las mentiras más grandes que hemos perpetrado en contra de nosotros mismos. ¿Realmente tienes miedo respecto al dinero, a perder dinero o a estar en bancarrota? ¿De hecho, en verdad tienes miedo? ¿O cuando una emergencia sucede lo manejas y después te desmoronas para comprobar lo horrible que fue para ti?

Si estuvieras dispuesto a ver honestamente lo que está pasando y ver lo que es verdad para ti, no importa qué tan intenso o retador se sienta, o de qué te has convencido que está pasando, crea una increíble libertad.

Realmente ser vulnerable no se trata de ser débil o exponerte a ser atacado. Ser vulnerable es ser como una herida abierta y no tener barreras ante cualquier persona o cosa, incluyéndote a ti mismo. Cuando no tienes barreras o defensas, nada bueno o malo te puede atorar. La mayoría del tiempo subimos nuestras barreras pensando que nos vamos a proteger a nosotros mismos, pero lo que tiende a pasar es que nos atrapamos detrás de esas paredes. Cuando tenemos esas paredes, no sólo nos separamos de las otras personas, no separamos de lo que es verdad para nosotros. Si realmente bajaras todas tus barreras ¿qué creencias que actualmente tienes acerca de qué tan limitado eres tendrías que reconocer, que no son para nada ciertas?

¿Quién serías realmente si nunca más tuvieras que defenderte o comprobarle nada a nadie? Cuando te juzgas y crees que eres menos que fenomenal ¿Quién estás siendo? ¿Estás siendo tú? ¿O estás siendo lo que otras personas quisieran que fueras? ¿Qué tal si no estás ni cerca de lo jodido que piensas que estás? ¿Qué tal que no hay nada de malo en ti, que tengas que esconder, superar, evitar que tengas que defender? ¿Qué tal si en verdad eres brillante? ¿Estás dispuesto a verlo? ¿Estás dispuesto a reconocerlo y serlo en el mundo?

Tú siendo tú, es una de las cosas más atractivas del mundo. Y ya lo estás reconociendo, porque a las personas a las que eres atraído, son las personas que están siendo ellos mismo, que tienen una vulnerabilidad y disposición de estar presente contigo. No tienen pretensiones, barreras o defensas. No tienen nada que demostrar. Así es cuando estás siendo tú. No tienes que ser otra cosa más que tú. Cuando estás siendo tú, todos quieren estar contigo. Y estarán más dispuestos a darte dinero también, sólo para estar con tu energía, sólo para tener algo de lo que tú estás teniendo. ¿Estás dispuesto a ser así de irresistible para otros?

¿Qué tal si te demandaras ser brutalmente honesto contigo y preguntar "¿Quién estoy siendo en este instante? Si estuviera siendo yo ¿Qué elegiría? ¿Qué crearía?"

"¿Qué es lo que realmente quisieras tener?"

Parte de ser vulnerable es también ser brutamente honesto acerca de lo que quisieras tener en la vida. Si lo mantienes escondido y secreto de ti mismo, o pretendes que no deseas lo que en verdad quieres, no tienes oportunidad de realmente crear y elegir algo más grandioso y tener una vida que realmente disfrutas. Tienes que estar dispuesto a no guardar secretos de ti mismo.

¿Alguna vez has tomado un momento para ver lo que quisieras crear en tu vida? ¿Qué tal si nada fuera imposible? ¿Qué tal si pudieras tener y ser y hacer y crear cualquier cosa? ¿Has estado dispuesto a ser tan honesto contigo mismo como para admitir lo que realmente quisieras tener en tu vida, incluso si no le hace sentido a nadie más?

¿Qué tal si escribieras una lista de todo lo que quisieras tener en tu vida? ¿Te gustaría tener una persona que limpiara tu casa? ¿Una nueva casa? ¿Una nueva cocina? ¿Hay algún viaje que quisieras tener? ¿Un negocio que quisieras empezar? ¿Cuánto dinero quisieras tener en tu vida?

¿Qué es lo que quisieras para ti, y qué tomaría para generarlo y crearlo con total facilidad?

¿Estarías dispuesto a pedir todo, sin importar si crees que es ridículo, imposible o totalmente inconcebible? ¿Estarías dispuesto a demandar de ti mismo que lo crearás, incluso si no tienes idea de cómo o cuándo se actualizará? Recuerda, si no pides, no puedes realmente recibir. ¿Así que porqué no pedirías todo lo que deseas y más? y ve qué se puede presentar, sólo porque es divertido.

¿Qué es lo que quisieras solicitarle al universo y demandar de ti mismo? Empieza a escribir cómo quisieras que fuera tu vida y tus flujos de dinero. ¿Qué es lo que quisieras crear y generar?

CONFIANDO QUE SABES

¿Hubo alguien en tu vida que te empoderara con el dinero y las finanzas? ¿Te preguntaban qué es lo que tu sabías al respecto? ¿Te motivaron a confiar en ti y a jugar con el dinero? Probablemente no. La mayoría de nosotros no fue motivado a descubrir quiénes somos y de qué somos capaces que es único en nosotros. No nos han dicho que tenemos que confiar en nosotros mismos y que sabremos qué hacer. Nos han enseñado que tenemos que ver lo que todos los demás están haciendo y subirte a bordo en ello.

Cuando viajé por primera vez, solamente iba a ir al extranjero por seis meses. Después de más o menos tres años, finalmente regresé a Australia. Cuando lo hice, todos me dijeron "Ok Simone, ya tuviste tu aventura, ahora puedes establecerte, empezar con un trabajo estable, casarte y tener una familia."

Para mí, eso es lo peor que podría haber hecho. Mi punto de vista era "¡Hey, apenas estoy empezando!"

No estaba dispuesta a seguir lo que los demás me estaban diciendo que tenía que hacer. Sabía que algo más era posible, así que no elegí lo que me dijeron que tenía que elegir. Confiaba en que a pesar de no tener una visión exacta de cómo sería mi vida, sabía que podía crear algo diferente. Sabía que me encantaba viajar, deseaba tener un negocio y sabía que deseaba tener dinero, así que ahora solo era cuestión de elegir.

"Siempre sabías, incluso cuando no funcionó."

Cuando conocí a Gary Douglas y lo oí hablar de las herramientas de Access, sabía que era equiparable a lo que sabía que era posible en el mundo. Confiaba en mí misma lo suficiente para seguir eso, no importando qué, y me da mucho gusto haberlo hecho porque ha cambiado mi vida, y la continúa cambiando dinámicamente.

¿Qué es lo que sabes del dinero que nunca te has dado la oportunidad de reconocer, o que te han juzgado mal por ello?

Uno de nuestros más grandes regalos y de los que más menospreciamos, es nuestra propia conciencia de lo que funcionará y no funcionará en nuestras vidas.

¿Alguna vez has sabido que algo no iba a funcionar en la forma en la que tú quisieras, pero lo hiciste de todas formas? ¿Alguna vez te has ido a la cama con alguien que no tendrías que haberte ido y a la mañana siguiente despertaste preguntándote por qué habías tomado esa no tan grandiosa elección? Pero cuando no funcionó, en lugar de decir "Oh wow, *sabía* que esto no iba a funcionar ¿qué tan brillante soy?" te juzgaste a ti mismo y te juzgaste porque no funcionaron las cosas, crees que creaste un desastre, en lugar de darte cuenta que sabías desde un principio que no iba a funcionar, y lo hiciste de todas formas ¡pensando que quizá te podrías salir con la tuya! Definitivamente sabías, pero sencillamente no seguiste tu conciencia.

¿Qué tal si empezaras a reconocer y a confiar en ese saber y empezaras a seguir tu propia conciencia de lo que funcionará para ti en lugar de elegir lo que sabes que en realidad no va a funcionar? ¿Estás tratando de crear tu vida como un éxito o como un glorioso fracaso?

Algunos de nosotros hemos pasado todas nuestras vidas hasta hoy no confiando en nosotros mismos. Cuando has estado tan comprometido en hacer lo que las otras personas necesitan y quieren, puedes perder base de lo que realmente deseas. Puedes sentirte en blanco o como si no supieras. Lo más probable es que te sientas un poco en blanco por un tiempo al empezar a ver esto, porque nunca nadie te ha preguntado qué es lo que realmente deseas.

Pero por favor, confía en que *sí* sabes. Dentro de ti, sabes. Quizá lo has escondido de ti mismo por mucho tiempo, pero si sabes.

"Si el dinero no fuera el problema ¿qué elegirías?"

Si el dinero no fuera el problema ¿Qué tipo de vida tendrías? ¿Qué es lo que harías cada día, qué es lo que te gustaría crear en el mundo? ¿Cuál de esas podrías empezar a instituir justo ahora? ¿Con quién tendrías que hablar? ¿Qué tendrías que hacer? ¿A dónde tendrías que ir? ¿Qué elecciones tendrías que hacer hoy para empezar a crear tu propia realidad financiera?

Estos son los tipos de preguntas que me hago todos los días. Cada día es nuevo para mi. Veo lo que deseo crear y veo lo que estoy creando y qué más puedo ser y hacer para crear más el futuro que quisiera tener.

Tú también puedes hacer esto. Puedes empezar a crear la realidad, el dinero, el negocio la conciencia, el gozo y la vida y el estilo de vida que realmente deseas. Confía en ti. Mantente dispuesto a reconocer que incluso si han pasado 10,000 años desde que pediste tomar conciencia de lo que deseas, sí sabes ¡y puedes crearlo con más facilidad de lo que piensas!

Parte dos

¡Dinero ven, dinero ven, dinero ven!

Capítulo 4

Diez cosas que harán que el dinero venga (y venga y venga)

A estas alturas espero que hayas podido disipar la neblina de los lugares en donde has estado funcionando con el dinero y estás empezando a ver tu realidad financiera desde un lugar de más espacio y posibilidad que cuando empezamos.

Tener una realidad financiera que funcione para ti quiere decir tener real intimidad con lo que realmente deseas crear, no solo la cantidad de dinero que deseas tener en tu cuenta de banco, sino con tu vida. Cuando tienes más claridad del futuro que deseas crear, es más fácil que el dinero vaya hacia ti. También cambiar tu punto de vista y como funcionas energéticamente con el dinero es igual de importante que los elementos de "hacer", necesitas cambiar todo para tener una realidad diferente con el dinero.

Los siguientes 10 elementos ven más a detalle a los componentes pragmáticos y prácticos para cambiar tu mundo financiero. Si haces estas cosas, funcionarán. Sí tienes que hacerlas, tienes que elegir.

Recuerda, si no haces el compromiso contigo y la demanda de que harás lo que se requiera, no importando cómo se vea, será mucho más difícil cambiar las cosas. Al final del día ¿Qué es lo que podrías perder? ¿Tus limitaciones respecto al dinero? ¿Tu angustia respecto al dinero? ¿Tu falta de dinero?

Vamos a empezar. Aquí hay 10 cosas que puedes hacer en tu vida que harán que el dinero venga, y venga y venga:

1. Haz preguntas e invita al dinero.
2. Saber exactamente cuánto dinero te cuesta vivir — gozosamente
3. Ten dinero.
4. Reconócete a ti mismo.
5. Haz lo que ames y te traiga gozo.
6. Ten conciencia de lo que piensas, dices y haces.
7. Deja de esperar un resultado determinado.
8. Deja de creer en el éxito, el fracaso, las necesidades y deseos.
9. Ten permisión.
10. Estar dispuesto a estar fuera de control.

Ya te he presentado muchos de esos conceptos en la Parte Uno del libro para que te sea familiar el cómo funciona cuando nos referimos a cambiar la deuda y la forma en la que funcionas con el dinero. En los siguientes capítulos nos aplicaremos en las cuestiones prácticas y aplicar estos 10 conceptos con herramientas y técnicas para realmente crear cambio en esas áreas, para que seas libre de elegir, crear y disfrutar del dinero, en lugar de tener angustia y lucha con el dinero.

Capítulo 5

Haz preguntas que inviten al dinero

Quizá hayas notado que a lo largo de este libro, te he invitado a hacerte muchas preguntas respecto al dinero. Es porque las preguntas son la invitación a recibir, lo que permite que el dinero venga. Si no preguntas, no puedes recibir.

Hay una "Regla de Oro" en lo que respecta a hacer preguntas que necesitas saber: una verdadera pregunta no se trata de obtener una respuesta, o de hacerlo bien o mal. Se trata de abrir la energía a una *posibilidad diferente*.

Nos han enseñado a hacer preguntas desde el punto de vista de buscar la respuesta correcta, y nos han enseñado a decir muchas declaraciones, ponerle un signo de interrogación al final y pretender que estamos preguntando algo cuando en realidad no lo estamos haciendo. Nada de eso es hacer preguntas genuinas. Básicamente, si estás haciendo una pregunta y ésta te guía directo a una respuesta, a un juicio o a una conclusión, o la estás usando para fabricar un resultado en particular, en lugar de hacerla desde la curiosidad y el deseo de generar posibilidades más grandiosas para ti, eso *no* es una pregunta.

Por ejemplo, éstas son declaraciones que parecen preguntas, pero no lo son: "¿Cómo puedo hacer que esto pase de la forma en que yo quiero?" "¿Porqué me está pasando esto?" "¿Qué hice mal?" "¿Porqué son tan malos?" "¿Por qué no me han ofrecido un ascenso aún?" ¿Qué cara*&$?" Todas estas son declaraciones, y ya tienen una suposición, conclusión o juicio, inherente, en su mayoría es que hiciste algo mal.

En algún lado está una respuesta ya implicada y no una posibilidad. En lugar de ello podrías preguntar "¿Qué posibilidades están disponibles que aún no he pedido?" "¿Qué elegí crear con esto y qué otras elecciones tengo?" "¿Qué está bien de mi que no estoy viendo?" "Qué tal si la elección de alguien más de ser malo no tuviera nada que ver conmigo ¿Qué elegiría?" "¿Qué tomaría para que estuviera dispuesta a pedir un aumento y que podría crear para que pudiera generar más dinero independientemente de ello?" y "¿De qué estoy consciente que no he estado dispuesta a reconocer?"

Otra clave de hacer preguntas es mantenerlas sencillas. Abrir una puerta a una diferente posibilidad es tan simple como preguntarte acerca de qué otras posibilidades pudieran haber. Si solo caminaras hoy, todo el día, haciendo dos sencillas preguntas "¿Qué más es posible?" y "¿Cómo puede mejorar esto?" con todo lo que se presente, empezarías a invitar una completamente nueva plétora de posibilidades y elecciones que antes no tenías, uando no estabas preguntando nada.

> *"La pregunta va de la mano con la elección, la posibilidad y la contribución."*

Cuando haces una pregunta, te empiezas a hacer más consciente de las posibilidades y las diferentes elecciones que tienes disponibles. Cuando haces una pregunta genuina, abres la puerta a que el universo te pueda contribuir.

Piensa en el universo como si fuera tu mejor amigo diciendo "¡Hey! ¡Vamos a jugar!" Desea que tengas exactamente lo que estás pidiendo y te contribuirá a lo que seas que estés creando en tu vida.

El universo no tiene punto de vista de lo que estás eligiendo. Si tus elecciones demuestran preferencia por la lucha, las limitaciones y el no dinero, eso es lo que el universo te dará. Si empiezas a pedirle su contribución desde la sensación del juego y la curiosidad, esa es la energía y las posibilidades y elecciones que te mostrará.

Tus elecciones y las posibilidades que eliges le demuestran al universo la dirección en la que deseas ir. ¿Qué es lo que están demostrando tus elecciones? ¿Qué elecciones diferentes podrías empezar a hacer inmediatamente? ¿Estás dispuesto a jugar con el universo 24/7?

Si deseas crear más conciencia de lo que es posible, pregunta "¿Qué puedo ser o hacer diferente cada día para tener más conciencia de las elecciones, posibilidades y contribuciones que están disponibles para mí en todo momento?

"¡Empieza a pedir el dinero ahora!"

La mayoría de nosotros no hemos sido enseñados a pedir dinero; especialmente no en voz alta, y no sin estar extremadamente incómodo y raro. Así que quizá necesites practicar. Párate frente al espejo y pregunta "¿Puedo tener el dinero ahora por favor?" Dilo una y otra vez. Practica mientras estás manejando el automóvil. Sigue preguntando. Cuando tengas un cliente que necesite pagarte, o alguien que te deba dinero por una factura, pregunta "¿Cuál será tu método de pago?" Quizá sea incómodo al principio ¡pero tienes que empezar a preguntar o no podrás recibir!

Imagina si tuvieras total facilidad al pedir dinero de cualquier persona y en cualquier momento. ¿Cuanta más libertad te daría para elegir lo que funciona para ti? ¿Cuanta más paz? ¿Cuánto te podrías *divertir* pidiendo que el dinero se presente de todas las formas posibles?

"Usa las preguntas diariamente para invitar al dinero."

Aquí hay una lista de preguntas fabulosas que puedes hacer cada día para invitar más dinero a tu vida:

- ¿Qué más es posible que aún no he pedido?
- ¿Qué posibilidades están disponibles que aún no he instituido?
- Si estuviera eligiendo mi realidad financiera ¿Qué elegiría?
- ¿Cómo me gustaría que fuera mi realidad financiera? ¿Qué tendría que ser o hacer diferente para crearlo?
- ¿Qué puedo ser o hacer diferente hoy para generar más dinero de forma inmediata?
- ¿En dónde puedo poner mi atención hoy que incrementará mis flujos de dinero?
- ¿Qué puedo agregar a mi vida hoy para crear más flujos de utilidad y de creación de forma inmediata?
- ¿Quién o qué más podría contribuirme a tener más dinero en mi vida?
- ¿En dónde puedo usar mi dinero para que genere más dinero para mi?
- Si el dinero no fuera el problema ¿Qué elegiría?
- ¿Qué acción puedo tomar hoy para cambiar mi realidad financiera?
- Si estuviera eligiendo solo para mi, sólo por diversión ¿qué me gustaría elegir?
- ¿Quién más? ¿Qué más? ¿Dónde más?
- Y recuerda... ¿Puedo tener el dinero ahora por favor?

Recuerda que tener dinero en tu vida es acerca de crear una vida y una completa realidad financiera que funcione para ti. Empieza haciendo estas preguntas cada día y nota qué diferencias empiezan a presentarse.

Quizá algunas posibilidades inesperadas se presenten, quizá notes que eres menos reactivo en ciertas situaciones donde antes lo eras, o que las personas a tu alrededor empiezan a cambiar. Sea la situación que sea, toma nota y reconócelo, se agradecido por ello y no llegues a ninguna conclusión al respecto. Sigue haciendo preguntas. No importa cómo se presente, pide más, pide algo más grandioso. ¿Qué tal si el hacer preguntas se volviera algo tan natural para ti que te vuelves una invitación imparable, caminante, hablante para las posibilidades con el dinero?

Capítulo 6

Tienes que saber cuánto dinero necesitas para vivir ¡gozosamente!

Cuando las personas me preguntan cómo pueden salir de la deuda y cómo pueden tener todo el dinero que desean, mi primera pregunta es: ¿sabes exactamente cuánto dinero requieres generar cada mes para que eso ocurra? La mayoría de las personas tienden a crear deuda porque no están muy conscientes de cuánto requieren para vivir la vida que quieren vivir. Así que exhorto a las personas a que pregunten: "¿Qué es requerido para aumentar mi ingreso mensual? ¿Qué tomaría para mis ganancias fueran más grandes que mis gastos?"

Esto es algo que recomiendo altamente que hagas: Ve detalladamente cuánto te cuesta llevar tu vida. Si tienes también tu propio negocio, entonces para tu negocio también.

Si tienes una hoja de balance o algún tipo de reporte de tu contador, usa esos números para manejar tu negocio o tu vida cada mes. Si no tienes este reporte, escribe todos los gastos que tienes. Escribe cuánto pagas de electricidad, y todas tus utilidades, cuánto te cuesta manejar tu automóvil, lo que cuesta administrar tu casa, tu renta, tu hipoteca, los gastos escolares, todo.

Después, agrégalo a tus deudas actuales. Si tienes más o menos $20,000 dólares en deuda, divídelo en 12 y agrega este número. Si son más de $20,000 dólares de deuda, divídelo en 14 meses o más si quieres. Sólo incluye eso en la lista (esta es la cantidad que estarás pidiendo para pagar tu deuda cada mes).

Después, anota lo que cuesta hacer las cosas que son divertidas para ti. Si te gusta recibir un masaje cada mes o cada dos semanas, incluye eso. Si recibes cortes de cabello o faciales, escribe esos. ¿Cuánto pagas en ropa, zapatos y libros? ¿Cuánto gastas cuando sales a cenar? Escribe todos esos. Si te gustaría viajar más, visitar a la familia, tomar un par de vacaciones por año, agrega eso también. Me hace feliz tener un par de botellas de buen champagne en mi refrigerador todo el tiempo, así que me aseguro de incluirlas cuando estoy realizando la suma de los gastos mensuales.

Una vez que hayas incluido todas las cosas divertidas, suma todo. Cuando tengas el total, agrega el 10 por ciento de lo que sea que ganes, sólo para ti. Este será para tu cuenta del 10 por ciento. En el siguiente capítulo, voy a decirte porqué crear una cuenta del 10 por ciento es una herramienta tan maravillosa y esencial, pero por ahora, asegúrate de guardar 10 centavos por cada dólar que entre. Y después, agrega otro 20, sólo por diversión, porque nunca sabes lo que sucederá, y la idea es que estés preparado para cualquier cosa y que no limites tus elecciones.

¿Cuál es la cantidad total? Esa es la cantidad que requieres para llevar tu vida cada mes. Si eres como la mayoría de las personas, usualmente es un poco más de lo que actualmente estás ganando.

La primera vez que hice esto, la cantidad de dinero que necesitaba para crear mi vida era el doble de lo que estaba ganando e inmediatamente me sentí agobiada pensando "¡Oh nunca podría generar esa cantidad de dinero!" Pero no me quedé en ese lugar. Me demandé a mi misma que no importaba cómo se viera, iba a crear esa cantidad de dinero y más, en lugar de ello pregunté ¿qué tomaría para crear esto y más con total facilidad? Ahora gano mucho más que esa cifra tan impresionante con la que inicié. Ahora hago eso más o menos cada seis meses. Mi vida cambia todo el tiempo, así que mis gastos han cambiado y deseo tener total conciencia de lo que estoy creando para poder demandar que más venga.

Este ejercicio no es acerca de recortar tus gastos o de limitarse de alguna forma. La mayoría de los contadores verán tu información y dirán "Tus gastos son muy altos. Son más grandes que tu ingreso. ¿Qué podemos recortar? Ese no es el acercamiento. Mi punto de vista es: ¿Qué más puedo agregar a mi vida? ¿Qué más puedo crear? Por eso recomiendo que hagas este ejercicio cada seis o doce meses, porque al cambiar tu vida, tus gastos y tus deseos, tus requerimientos financieros también cambiarán.

¿Qué tal si este fuera el inicio de tu universo financiero, siempre cambiante? Tienes que darte el regalo de estar consciente de dónde estás exactamente y en dónde te gustaría estar, o no podrás tomar el siguiente paso hacia adelante, ya que siempre estarás inconsciente de dónde estás financieramente.

¿Qué tal si hicieras esto para incrementar tu conciencia? ¿Qué tal si hicieras esto por diversión? ¿Qué tal si lo hicieras sólo para estar consciente de lo que más deseas en la vida y para ver qué más podrías crear? ¿Qué tal si salieras del trauma y drama del no dinero y empezaras a crear una realidad completamente diferente? Esta es tú vida. Tú eres quien la crea. ¿Estás contento con lo que actualmente estás creando o te gustaría cambiarlo?

Capítulo 7
Tener Dinero

En el capítulo dos de este libro, hablamos acerca de estar dispuesto a *tener* dinero si es que deseas crear tu realidad financiera y lo que eso empieza a crear en tu vida cuando lo haces.

Permitirte realmente tener dinero crea una sensación continua de abundancia y riqueza en tu vida que te contribuirá a crear un futuro financiero más grandioso.

Tengo esta extraña obsesión con el agua, me gusta tener una botella de agua conmigo todo el tiempo. A menudo digo que quizá morí de sed en una vida pasada porque he notado que siempre que tengo agua conmigo, no tengo sed ¡incluso si no la bebo! Si no tengo agua conmigo, entonces empiezo a sentir sed. ¿Qué tal si fuera lo mismo con el dinero? ¿Qué tal si tener dinero crea una sensación de paz con el dinero que te permita ir más allá de cualquier sensación de escasez?

¿Cómo empiezas a tener más dinero en tu vida y crear la sensación de paz y abundancia?

Aquí hay tres maneras que puedes implementar para tener dinero en tu vida. Estas son herramientas sencillas pero efectivas de Access Consciousness, y son unas de las primeras herramientas que empecé a usar para cambiar mi propia realidad financiera (y sí, me resistí a ellas al principio y después pensé ¿Qué sería lo peor que pudiera pasar si lo probara?). Úsalas y ve cómo se expande el dinero en tu vida y crece hacia tu futuro. Recomiendo hacer todas estas y realmente comprometerte a hacerlas por lo menos seis meses y ve qué es lo que cambia para ti.

HERRAMIENTA #1 PARA TENER DINERO: LA CUENTA DEL 10%

Una de las primeras herramientas importantes de dinero que me gustaría darte es guardar 10% de todo lo que ganes, 10% de cada dólar, euro, libra o en la moneda que estés creando. No estás guardándolo para pagar tus facturas. No estás guardándolo para una época de vacas flacas. No es para cuando te quedes sin dinero. No es para pagar la cuenta grande que viene en camino. No es para ayudarle a un amigo. No es para comprar los regalos de Navidad. ¡No es para ninguna de esas cosas!

Lo estás guardando para honrarte a ti mismo.

Las personas dicen "¡Tengo cuentas por pagar! ¿Cómo puedo guardar 10% de mi ingreso? Tengo que pagar las cuentas antes." Pero aquí está la cuestión: si pagas tus cuentas antes, siempre vas a tener más cuentas. Cuando pagas primero tus cuentas el universo dice: "Oh, ok. A esta persona le gusta honrar sus cuentas. Vamos a enviarle más cuentas." Si te honras a ti mismo apartando 10% al inicio, el universo dice: "Oh, está dispuesto a honrarse a sí mismo. Está dispuesto a tener más" y responde a ello, te da más.

Apartar el 10% es un regalo para *ti*. Se trata de estar agradecido contigo mismo.

La primera vez que hice mi 10%, estaba haciéndolo muy renuentemente porque Gary me había sugerido que lo hiciera. La cuenta del 10% no funcionará si lo haces con el punto de vista de "Esta persona o este libro me dijo que lo hiciera." Lo tienes que hacer para ti. Tienes que hacerlo para cambiar la energía respecto a las finanzas y la energía que tienes respecto al dinero. No sólo porque yo lo dije y lo estás leyendo en este libro. Empieza a hacer la demanda para crear una realidad diferente.

Pregunta "¿Qué tomaría para que esto fuera una elección para mi y no una necesidad?" ¿Qué es lo peor que pudiera pasar? ¿Lo gastarías? Pero no puedes hacerlo desde el punto de vista que lo gastarás. Después de mas o menos tres o cuatro meses de que empecé mi cuenta del 10%, la energía del dinero cambió para mi. Ya no tenía este pánico referente al dinero. ¿Cuántos de ustedes tienen pánico respecto al dinero, o se estresan por el dinero y eso se ha vuelto más normal de lo que parece? Si ves la energía de ello, es contractiva; es como hacer la fiesta depresiva a la que el dinero no quiere ir. El dinero sigue al gozo. El gozo no sigue al dinero.

Lo que te recomiendo es que empieces hoy. Incluso si tienes una torre de cuentas por pagar. Incluso si sólo tienes $100 en tu billetera y estás pensando en que tienes que comprar comida para la semana. Empieza hoy. El tema es que no es lógico ni lineal. Puedes sacar las cuentas en torno a esto, pero no es computable. Energéticamente también el universo te empieza a contribuir y empieza a llegar dinero de los lugares más aleatorios.

Alguien alguna vez me dijo que guardaba el 10% en su cuenta y cuando llegaban las cuentas por pagar, usaba ese dinero para pagarlas. Ella dijo "Pago por completo las cuentas, lo cual es grandioso pero quiero cambiar la prioridad de pagar las cuentas hacia el guardar mi 10% como una forma de honrarme." Ella me preguntó "¿Cómo hago para dejar de quedarme sin dinero entre cada cheque?"

Le dije "Mi pregunta sería: ¿Cuántas conclusiones tienes de que no tendrás dinero para pagar tus cuentas si no usas la cuenta del 10%?"

El punto de vista lógico sería "Bueno, tengo que pagar las cuentas y el único dinero que tengo es el de la cuenta del 10% así que tendré que usar ese." Te estoy pidiendo que *no* funciones desde el punto de vista lógico. Aquí es cuando entra la elección. Te estoy invitando a que tengas el valor de demandar "¿Sabes qué?" No voy a gastar mi cuenta del 10%." Y descubre qué más sería posible que crearas.

En algún momento, la cuenta por pagar de una de mis tarjetas de crédito era extremadamente alto. Tenía tres veces la cantidad que se requería en mi cuenta de 10%, así que sabía que podía pagar el monto de mi tarjeta si lo eligiera. No hice eso. En lugar de ello indagué qué crearía esa energía para mi si usara el dinero de mi cuenta del 10%. Tuve la sensación de esa energía y después vi lo que se crearía si no hacía eso y en lugar de ello demandaba que creara y generara el dinero para pagar las tarjetas de crédito. Para mi, la segunda energía de crear más para pagar las tarjetas era mucho más divertida.

Así que eso fue lo que elegí.

HERRAMIENTA #2 PARA TENER DINERO: LLEVA CONTIGO LA CANTIDAD DE DINERO QUE UNA PERSONA RICA TENDRÍA EN SU BILLETERA

¿Cuán diferente te sentirías si vieras un montón de efectivo cada vez que abrieras tu cartera en lugar de un montón de espacio vacío y algunos recibos machucados? ¿Qué tal si disfrutaras de tener dinero ahí? Ten en tu billetera la cantidad de dinero que una persona rica trajera.

Yo viajo mucho, así que es muy divertido para mi tener efectivo en diferentes tipos de moneda. También tengo una moneda de oro en mi bolsa. Me hace feliz tenerla ahí. Me hace sentir abundante con el dinero. Para mi, funciona. ¿Qué funcionaría para ti? ¿Qué sería divertido para ti? ¿Qué te da la sensación de riqueza?

A mí me gusta tener $1,000 dólares conmigo todo el tiempo. Me gusta tener una botella de agua conmigo todo el tiempo. Me gusta tener una botella de vino fría en el refrigerador de mi casa. Estas cosas me dan alegría; son gozosas para mí. Me dan la sensación de que estoy creando mi vida. ¿Qué te da la sensación de estar creando tu vida, que si en verdad lo eligieras, también crearía una realidad financiera diferente para ti?

Algunas personas descartan la idea pensando "¿Qué tal si me asaltan o pierdo mi cartera o bolsa?" Yo tenía una amiga que traía consigo cerca de $1800 consigo y perdió su bolsa. No fue muy lindo para ella en ese momento, pero después de eso ¡ella estaba mucho más dispuesta a estar consciente de su dinero! Si te preocupa que algo así que pase, mi pregunta sería "¿Cuánto dinero tendrías que traer contigo para que estuvieras consciente de él todo el tiempo?" Cuando traes una suma grande de dinero, de pronto estarás dispuesto a estar más consciente de tu dinero; te volverás consciente de dónde está y de qué tienes que estar consciente para que no te lo roben o se pierda. Si evitas tener dinero contigo o en tu vida porque piensas que lo vas a perder o te lo van a robar, nunca te permitirás tener dinero en lo absoluto. Tienes que estar dispuesto a tener dinero y tienes que estar dispuesto a disfrutarlo sin tener punto de vista.

HERRAMIENTA #3 PARA TENER DINERO: COMPRA COSAS DE VALOR INTRÍNSECO

He comprado mucho oro y plata con mi cuenta del 10% y es divertido para mí. Tengo una caja fuerte en mi casa donde guardo mucho de mi oro y plata. Si en algún momento tengo la sensación de no tener dinero, abro la caja fuerte y me doy cuenta "Ah, si tengo dinero." Estos son los tipos de cosas que una cuenta de 10% puede hacer para ti.

Comprar cosas de valor intrínseco (eso quiere decir que por la naturaleza de su material tienen un valor monetario) es una forma de tener más dinero, y también tener cosas líquidas (líquido se refiere a que se vende fácilmente por dinero) en tu vida eso mantendrá su valor o lo incrementará. Cosas como oro, plata o platino pueden ser comprados en onzas, kilos o monedas. Comprar antigüedades o joyería antigua también puede ser una buena inversión. Guardan su valor a través del tiempo, en comparación con los muebles modernos o la joyería de fantasía que quizá se vea bien, pero inmediatamente pierden una gran proporción de su valor en el mercado una vez que son comprados. Cosas como la cubertería de plata son grandes activos líquidos porque son cosas estéticamente bellas que puedes usar, lo que contribuirá a crear la sensación de riqueza y lujo en tu vida. ¿No es mucho más lindo beber champaña en un bello cristal o en una copa de plata en lugar de en un vidrio o plástico? ¡Sé que para mí así es!

Tampoco tienes porqué tener miles y miles de dólares en tu cuenta del 10% para empezar a comprar cosas de valor intrínseco. Puedes empezar comprando una cuchara de plata para revolver tu café y seguir a partir de ahí. Solo asegúrate de lo que sea que hagas o compres, que sigas lo que es divertido para *ti*. Edúcate a ti mismo acerca de las cosas que tienen valor que sería divertido para ti tener en tu vida.

También he comprado diamantes y perlas con mi cuenta del 10%. Siempre me he asegurado que haya suficiente efectivo en mi cuenta de 10% para mí, continuamente, para tener la sensación de paz y sentir que tengo dinero.

¿Cuánto dinero tendrías que tener en tu vida para tener una mayor sensación de paz y abundancia con el dinero? ¿Y qué más le puedes agregar a tu vida para crear la sensación de estético, abundante, lujoso y riqueza que expande cada faceta de tu vida y estilo de vida?

Capítulo 8

Reconocerte a ti

Reconocerte a ti es algo que tienes que estar dispuesto a hacer si deseas que tu vida y tus flujos de dinero se vuelvan más sencillos y más gozosos. Cuando no reconoces lo que es verdad para ti, te disminuyes a ti mismo. Si no reconoces que ya has creado algo en tu vida, lo destruirás para poder creer que no has logrado nada, y regresarás y empezarás de cero. Una forma mucho más sencilla es reconocer lo que es, es reconocer lo que has logrado, abrir tus ojos a la grandeza de ti y a no disminuir las cosas que has creado o cambiado. Esto es muy importante, especialmente mientras estás usando estas herramientas y todo empieza a cambiar para ti. Tienes que reconocerte a ti, tienes que reconocer lo que se presenta, incluso si se ve muy diferente a lo que pensaste que sería.

Hay tres formas en que puedes empezar a reconocerte más efectivamente:

1. Reconoce el valor de ti.
2. Reconoce lo que es fácil para ti hacer y ser
3. Reconoce lo que estás creando

"No esperes a que los otros vean tu valor."

¿Estás esperando que otros te reconozcan para que finalmente sepas que lo que tu ofreces tiene valor? ¿Qué tal si fueras tú quien reconocieras que eres valioso, sin importar lo que piense nadie más? La mayoría de las personas no pueden verte para reconocerte ¡porque ellos mismos no pueden verse ni reconocerse! Si estás dispuesto a ver la grandeza de ti, si estás dispuesto a reconocerte, podrás ver la grandeza en los otros y los podrás invitar a que lo vean por sí mismos, simplemente siendo tú mismo.

Quizá pienses que si tan sólo encontraras la relación correcta, recibieras más premios por tu trabajo o hicieras que tu progenitor más difícil te reconozca, finalmente te sentirás valioso. Esto no ha funcionado porque realmente nadie más te puede dar eso. Si no sientes que tienes valor en tu vida, ninguna cantidad de personas que te digan cuán fantástico eres, va a poder penetrar en tu mundo. Tienes que ver el valor de ti primero, después se vuelve más sencillo percibir y recibir el reconocimiento de otras personas. ¿Qué tal si empezaras cada día preguntando "¿Qué es grandioso de mí que nunca he reconocido?" "¿Qué he rehusado reconocer de mí que si lo reconociera crearía mi vida más llena de facilidad y gozo?"

Tienes que saber que tú eres el producto valioso de tu vida – no porque otras personas te diga que lo eres, sino porque sabes que lo eres. Esta será quizá una de las cosas más difíciles que hagas en un principio, porque tienes que renunciar a juzgarte para poder tener el valor de ti. Tienes que estar agradecido, y tienes que ser honesto contigo, tienes que recibir tu propia grandeza sin barreras.

Quizá en un principio te forces a ver el valor de ti. Ten una libreta y escribe de qué estás agradecido de ti, y agrega tres cosas diferentes cada día. Haz la demanda de percibir, saber, ser y recibir la grandeza de ti con más facilidad. Comprométete contigo, y respaldarte en el proceso.

"¿Qué es fácil para ti que nunca has reconocido?

Todos tienen un área en la vida en donde hacen las cosas con facilidad, sin pensar en ello, sin juzgar que será difícil. Simplemente lo hacen. Es súper fácil. ¿Tienes algún juicio de las cosas que encuentras fáciles en la vida, por ejemplo, manejar un automóvil? ¿O simplemente reconoces que eres un gran conductor y que puedes manejar cualquier cosa y que puedes serlo y que puedes elegirlo?

Todos tienen algo (y frecuentemente tienen muchas cosas) que encuentran fácil ser o hacer. Si encuentras algo así en tu vida, probablemente también encontrarás que no tienes juicio de ti y de cómo lo haces. Y probablemente tampoco tengas que consultar con nadie más cómo lo hacen. Simplemente lo haces; ¡simplemente lo eres! Ahora ¿qué pasaría si tomas esa energía y preguntas "¿Qué tomaría para que yo fuera esa energía con el dinero también?"

Los negocios son una de esas cosas que son sencillas para mí. Realmente los disfruto. Para mí, los negocios son una de las cosas más creativas que puedes hacer. No juzgo lo que sucede en los negocios, simplemente elijo de nuevo. Incluso cuando un negocio no funcionó para nada, nunca me molestó a tal grado que me juzgara a mí misma por ello. No me había dado cuenta que era un punto de vista tan diferente sino hasta que estaba hablando con un amigo de un colega que estaba eligiendo algo que yo pensaba que era una locura, porque no tenía nada de gozo para él. Mi amigo dijo, "Simone ¡nadie hace negocios por el gozo de ello!" lo cual me dejó en shock. Reconocí que era muy diferente. Hasta ese momento, yo pensaba que todos hacían negocios por el gozo que hay en ellos.

Darme cuenta que los negocios eran sencillos y divertidos para mí, pero no necesariamente para otras personas me permitió empezar a ver dónde podía contribuirles a otras personas, invitándolos a tener gozo en sus negocios. Abrió la puerta para crear más en mi vida, más gozo, más facilidad ¡y más dinero! Mi negocio "El Gozo de los negocios" permitió que fuera creado y que contribuyera a miles de personas alrededor del mundo para que tuvieran otra posibilidad con los negocios. Cada día, hay gente que se pone en contacto conmigo que dicen que están muy agradecidos por los Facilitadores del Gozo de los Negocios, clases y libros. Así es cómo podemos ser de poderosos en el mundo, siendo nosotros mismos y estando dispuestos a reconocer y crear con lo que nos viene con facilidad.

¿Qué encuentras fácil de hacer? ¿Qué piensas que es fácil y crees que no tiene valor? Usualmente no valoramos lo que es fácil para nosotros porque creemos que todo lo que vale la pena tener, es difícil de obtener. O pensamos que sólo es fácil para nosotros porque creemos que cualquier persona lo puede hacer. Ninguno de esos puntos de vista son verdaderos. Si es fácil para ti, no es porque cualquier otra persona pueda hacerlo o porque no tenga valor, es porque tú eres tú y tú tienes una capacidad en esa área.

Empieza a escribir las cosas que te sean fáciles y obsérvalas bien. Obtén la energía de cómo es hacer esas cosas que son fáciles. ¡Reconoce lo brillantes que eres!

Ahora ¿Qué tal si le pidieras a esa energía que se presente en todos los lugares en donde has decidido que no son tan sencillas? Si reconoces esa energía y pides que crezca en tu vida, puede hacerlo y lo hará. Si no lo reconoces, no puedes elegir más de ella.

¿Qué tal si fuera así de sencillo? La única forma de saber es si lo pruebas y ves que pasa. ¿A qué esperas? ¿Qué más puedes reconocer acerca de ti que no pensaste que tuviera valor?

"¿Reconoces tus creaciones o las descartas?

Tenía un amigo cuyos padres le decían todo el tiempo "¡Sabes que el dinero no crece en los árboles!" Eran dueños de un huerto. Para ellos el dinero si crecía en los árboles. Pero ellos no lo veían. No podían recibir el gozo que venía de ser personas en el mundo cuyo dinero si crecía en los árboles.

Y con la creación de dinero ¿Qué tan a menudo te juzgas o descartas la cantidad de dinero que se presenta o no se presenta en tu vida, en lugar de recoger cada dólar, reconocerlo y preguntarle "¡Oh, esto es genial! ¿cuánto nos podemos divertir?"

Recientemente un amigo ganó $20,000 apostando $200 en una famosa carrera de caballos en Australia. Estaba muy contenta por él. Cuando hablé con él al respecto, lo primero que hizo fue empezar a ver a quién se lo podría regalar y en qué lo podría gastar. Le pregunté "¿Qué tal si tan solo recibieras esta gran creación? ¿Qué tal si pudieras tener dinero? No era que estuviera bien o mal que él deseara regalarlo y gastarlo. Pero él no se había detenido para reconocerse a sí mismo. Nota la energía y la sensación de posibilidad que sería creada en la vida con un reconocimiento como "Creé algo bastante maravilloso hoy. ¿Qué tal si realmente recibiera éste dinero en mi vida y tuviera total gratitud por él y por mi? ¿Qué tal si realmente disfrutara mi creación? ¿Cuánto me podría divertir y qué más podría crear ahora?"

No nos permitimos realmente maravillarnos por nuestra habilidad para crear. ¿Qué tal si pudieras hacer eso con cada moneda que viniera a ti? tener total gratitud y total reconocimiento de ti mismo. Cuando disfrutas de tu habilidad para crear, más vendrá hacia ti.

¿Cuánto estás creando en tu vida que estás descartando? ¿Qué tal si pudieras estar totalmente presente con todo lo que ocurre y todo lo que has creado en tu vida y recibirlo todo, con gratitud?

Capítulo 9

Haz lo que amas

A lo largo de mi vida, he notado que hay personas que hacen cosas por dinero, y hay personas que hacen cosas para poder crear algo diferente en el mundo.

Por ejemplo, conozco a alguien que tiene mucha creatividad y capacidad en su universo, pero sigue diciendo "Bueno, si hago esto, quiero x cantidad de dinero. Eso es lo que yo demando." Y no es una cantidad pequeña. Demandan mucho y aún no ha hecho nada. Ella no creará nada hasta que alguien esté de acuerdo en pagarle una gran cantidad de dinero, y esa persona aún no ha podido ver lo que ella puede hacer. Quería preguntarle "¿Por qué no simplemente lo creas y ves qué es lo que se presenta?" El caso no es creer que no puedes hacer grandes cantidades de dinero o asumir que te tienen que pagar sólo un poco de dinero cuando empiezas algo nuevo. ¿Qué tal si no dejas que nadie te detenga de hacer lo que amas? ¿Qué tal si lo hicieras de todas maneras, independientemente del dinero?

No te pongas a crear por el dinero; empieza a crear y permite que el dinero venga a ti. Y cuando llegue a ti, celébralo. Sé agradecido.

Y no te detengas ahí, sigue agregando más a tu vida. Incluye más de lo que te gusta hacer. ¡Y sigue invitando a más dinero a que venga a jugar!

"¿Qué te encanta hacer?"

Una amiga que es cosmetóloga me preguntó acerca de crear nuevos flujos de dinero. Le pregunté "¿Qué amas hacer?" Ella me dijo: "Me encanta manejar."

Ella vive en California y las autopistas tienen ocho carriles y están fantásticamente ocupadas, pero ama manejar. Empecé a contratarla para que me recogiera en el aeropuerto de Los Ángeles y me llevara a Santa Bárbara cuando iba allá. Es muy lindo que alguien te recoja después de un vuelo de catorce horas. Ahora ella también está recogiendo a tres clientes más. Está haciendo algo que le gusta y está creando un nuevo flujo de dinero. Muchas otras personas personas podrían decir "Me gusta manejar pero ¿cómo me va a generar dinero eso? ¡No quiero ser taxista!" en lugar de simplemente ver lo que les gusta hacer y estar dispuestos a crear algo gozoso para ellos, como mi amiga cosmetóloga. Se trata de la elección y posibilidad y la disposición para recibir.

Tienes que empezar a ver las cosas que te encanta hacer. Saca una libreta y empieza a escribir las cosas que te encanta hacer. No importa lo que sea. Cocinar, jardinería, leer, caminar con el perro, hablar con personas. No consideres si es algo de valor en el mundo (porque ya sabemos que si es fácil y divertido para ti, tenderás a asumir automáticamente que no tiene valor), solamente escríbelos. Si es divertido para ti, si te encanta, entonces escríbelo en la lista. Sigue agregando cosas durante los siguientes días y semanas. Después voltea y mira ¿estás haciendo suficientes cosas que te encantan? Recuerda ¡el dinero sigue al gozo! También, empieza a preguntar "¿Cuál de estos podría crear flujos de dinero de forma inmediata?" y nota si uno o algunos de ellos resaltan. ¿Qué tal si algunas de esas cosas fáciles y divertidas pudieran hacerte más dinero de lo que imaginas? ¿Qué tendrías que hacer y con quién tendrías que hablar y dónde tendrías que empezar a crear eso como realidad, inmediatamente? ¿Y cuánto te puedes divertir creando?

"¿Qué más puedo agregar?"

Uno de mis libros favoritos acerca de crear riqueza es El Capitalista Penny de James Hester. Hester no dice "Recorta tus gastos." No dice "Deja de gastar." El pregunta "¿Cómo puedes crear más dinero del dinero que estás ganando? La mayoría del libro habla de cómo hacer dinero del dinero que ya tienes, ya sea que sean cinco dólares, cincuenta dólares, cinco mil dólares o cincuenta mil dólares.

Gary Douglas es brillante en esto. Access Consciousness es un negocio internacional enorme y él viaja por el mundo, se deleita comprando antigüedades y joyería hermosa y vendiéndola en una tienda de antigüedades en Brisbane. Es otro flujo de dinero para él. Es algo con lo que genera una ganancia porque es algo que es divertido para él y es brillante haciéndolo.

¿Cuántos flujos de dinero podrías crear hoy? No tienes que estar en un solo camino. Puedes tener varios flujos y caminos simultáneos. ¿Qué tal si pudieras crear tantos como quisieras? ¿Qué tal si pudieras crear más dinero del dinero que ya tienes? Actualmente tengo varios flujos de dinero. Soy la Coordinadora Mundial de Access Consciousness, tengo el negocio *El Gozo de los Negocios*, que tiene un libro en 12 idiomas, clases, telellamadas y sesiones privadas. También tengo un portafolio de acciones que está creciendo rápidamente, y al día de hoy mi pareja y yo invertimos en una propiedad en el río de Noosa, en Australia. Por el gusto de hacerlo también invertimos en dos caballos de carreras con Gai Waterhouse (uno de los entrenadores de caballos de carrera más destacados en Australia). Básicamente, no hay límite en la cantidad de flujos de dinero que puedas tener. ¿Qué tomaría para que puedas recibirlos y te diviertas?

¿Cuántas veces rehúsas la creación de dinero porque ya decidiste "es demasiado chico" o "es muy difícil" o "¿es del mismo camino en el que voy?" ¿Qué tal si eso fuera irrelevante?" Si es para ti, es relevante. El gozo te llevará más lejos en la vida de lo que siempre has imaginado.

Si estás buscando más clientes en tu negocio, o te estás aburriendo con tu trabajo, pregunta: ¿Qué más puedo agregar aquí? Siempre estoy agregando algo nuevo que sea interesante para mi, porque la mayoría de las veces no nos gusta hacer lo mismo una y otra vez. No nos gusta la repetición. La mayoría de nosotros nos aburrimos y abrumamos cuando no tenemos suficientes cosas sucediendo al mismo tiempo. ¿Cómo te puedes aburrir y abrumar al mismo tiempo? Puede parecer extraño, pero muchas personas con las que yo hablo estamos exactamente en el mismo predicamento. Sienten que están abrumados con todo lo que está pasando en sus vidas y están completamente aburridos con ello al mismo tiempo. La respuesta automática de la mayoría de las personas a las que les pasa esto es que tratan de reducir o simplificar. ¿Pero eso realmente ha ayudado? ¿Qué tal si intentas algo diferente? Si piensas que tienes demasiadas cosas pasando al mismo tiempo, estás equivocado. Puedes duplicarlo. Puedes triplicarlo. ¿Qué más puedes crear?

Si empiezas a agregar más a tu vida, especialmente si estás creando cosas que te gustan, los dos, tanto el aburrimiento como el abrumamiento empezarán a desvanecerse y la vida se volverá más el gozo de la aventura de vivir.

Cuando empecé como Coordinadora Mundial de Access Consciousness, estábamos en cinco países. Entre ocho y diez años después estábamos en 40 países y ahora estamos en 173 países. Hubo muchas veces en que pude haber decidido que era demasiado o que era abrumador, pero me di cuenta que cuando estuve dispuesta a ver al negocio completo con vista de halcón y hacer preguntas de qué más le podía agregar al negocio y en qué más podía contribuir, sabía qué cosa elegir a continuación.

Practica el tener esa vista de halcón con un proyecto o con alguna parte de tu vida en donde tiendas a abrumarte. Mira y pregunta "¿Alguien le podría contribuir a esto?" "¿Alguien le podría agregar algo a esto?" "¿Alguien pudiera hacer esto mejor que yo?" Todas estas son preguntas que puedes usar para que no te abrumes y que puedas tener más claridad.

Cuando pienses que tienes demasiadas cosas pasando al mismo tiempo, pregunta "¿Qué puedo agregar a mi vida para que tenga claridad y facilidad con todo esto y más?" Agregar a tu vida creará más de lo que deseas, eliminar de tu vida no lo hará.

"¿Creas diferente que otras personas?"

Cuando hablé acerca de crear nuevos flujos de dinero en una clase, uno de los participantes dijo "Entiendo lo que estás diciendo y estoy trabajando con diferentes flujos de dinero mientras estoy escribiendo un libro. Sin embargo, sigo pensando 'Este nuevo camino me está alejando de mi libro' o "mi libro me está alejando del taller que quiero crear."

Esta es una preocupación común, porque en esta realidad, las personas proyectan que tendrías que terminar una cosa antes de empezar otra. ¿Eso es verdad para ti? ¿Qué funciona para ti? ¿Es más divertido para ti hacer muchas cosas diferentes al mismo tiempo? Pruébalo y ve.

Antes tenía un socio de negocios que siempre me decía "Simone, necesitas terminar de hacer una cosa y después empezar otra, estás trabajando en demasiadas cosas al mismo tiempo." Y claro que desconocí mi saber y mi conciencia y pensé que él tenía la razón, así que empecé a intentar completar una cosa y después empezar otra y *me estaba volviendo loca.* Fue muy difícil para mí trabajar de esa forma porque yo no soy así y no es así como yo creo.

Cuando lo vi, me di cuenta que realmente disfruto trabajar con 10 o al menos 20 cosas al mismo tiempo. Es gozoso para mi. Me gusta trabajar en todos en diferentes momentos y que entren gentilmente en mi conciencia y me digan "¿Qué tal si trabajas en mi ahora?" cuando requieren de mi atención.

Sino juzgar la forma en la que tu creas como algo incorrecto ¿Cuánta diversión pudieras tener creando aún más? ¿Qué tal si te pones en contacto con todos tus proyectos? ¿Qué tal si pudieras tener múltiples flujos de dinero con los que te guste crear?

Crear múltiples flujos de dinero es un concepto importante. Si tienes dificultades recibiendo este concepto o piensas que esto simplemente no puede funcionar para ti, por favor reconsidéralo. Esta es la forma en que yo creo. Y es la forma en que veo que otras maravillosas personas también crean. Tienes que estar dispuesto a vivir fuera de la zona de confort.

¿Qué otros flujos de dinero podrías crear? ¿Quién o qué podrías agregar a tu vida que incrementara tus ingresos? De nuevo ¿Qué tal si crear nuevos flujos de dinero no tuviera que ser lineal? Haz preguntas y siempre sigue lo que sea más ligero y más expansivo para ti. Sigue lo que sabes ¡porque siempre sabes!

Ten conciencia de lo que dices, piensas y haces

Crear una realidad financiera expansiva es mucho más fácil cuando creas tu vida como una invitación abierta y continua para el dinero. Ser esta invitación en tu propia vida, necesitas dejar de hacer, decir y pensar las cosas en donde desinvitas el dinero. Empieza a escuchar todo lo que dices o los pensamientos que vienen a tu cabeza cuando se trata de dinero, especialmente esas cosas que automáticamente tiendes a creer que son reales y que normalmente no cuestionas ¿qué tal si no fueran reales para nada?

Por ejemplo, ves un automóvil lindo pero en cuanto lo deseas, decides que nunca te alcanzará el dinero para comprarlo. Acabas de desinvitar al dinero. Podrías invitarlo a tu vida preguntando ¿Qué tomaría para que ese automóvil o esa forma de lujo se presentara en mi vida con facilidad?" esa es una pregunta ¡esa es una demanda! Decir "No podría pagarlo" es una conclusión y es una limitación y un camino sin salida en donde ni el dinero ni la posibilidad se pueden presentar. Estas son las formas no cognitivas y muchas veces automáticas en donde evitamos que el dinero venga a nuestras vidas con mayor facilidad.

Una buena amiga mía es madre soltera con dos hijos y ella no dice "No podría pagarlo." Ella demanda una lista completa de sí misma. Ella demanda lo que quisiera crear en su vida y después va y hace preguntas acerca de cómo puede empezar a crearlo.

Ella quería ir de vacaciones con sus hijos y fue con un agente de viajes. La señorita de la agencia de viajes le dio una cotización para ir a un tour y mi amiga dijo "¡Oh! No quiero ir a un tour" y la mujer dijo que sería mucho más caro hacer el viaje sin hacer el tour. En lugar de decidir "Eso es mucho más caro, tendría que hacer el tour" mi amiga le preguntó a la agente "¿Y cuánto sería si viajara con los niños, sin hacer el tour y viajara en una mejor clase?" Ella no se detuvo a sí misma o detuvo las posibilidades de lo que ella podría crear. Ella hace la demanda de que eso es lo que creará.

Tienes que estar dispuesto a realmente prestar atención de lo que piensas, crees y dices en relación al dinero, porque eso es exactamente lo que crearás. Otra forma de ver esto es que invocas (como si fuera un hechizo de magia) tu vida a que exista por tus pensamientos, palabras y acciones. Por ejemplo "Nunca tengo dinero, nunca tengo dinero, nunca tengo dinero" es una invocación. Estás invocando el no dinero en tu vida. ¿Qué tan a menudo piensas "Desearía poder hacer esto, pero no tengo elección"? "No tengo elección" es exactamente la realidad que crearás cada vez que lo digas o lo pienses. Crearás tu mundo de acuerdo a ese punto de vista al no elegir algo. ¿No es brillante esto? Lo que piensas, dices y haces es muy poderoso y está creando tu vida como lo es ahora. Si quieres cambiar lo que no está funcionando para ti, tienes que estar dispuesto a salir del piloto automático y estar presente con lo que estás creando.

"Desear vs Crear"

¿Qué tan a menudo pones las cosas en una lista de deseos, esperando que en algún momento se presenten, pero no tomas acción para crearlo?

Veo a tantas personas que no quieren comprometerse a crear una realidad financiera diferente, pero de cualquier forma quieren los resultados completos. Dicen "Desearía tener un millón de dólares." Se quejan o entran al trauma y drama de lo que no tienen, sin embargo no toman ni un solo paso para crearlo. Si estuvieras dispuesto a ser totalmente honesto contigo mismo en este momento ¿qué tan familiar te es este escenario? ¿Qué estás deseando tener en lugar de comprometerte a la creación?

Comprometerte es la disposición de dar tu tiempo y energía a algo en lo que tú crees. ¿Qué tal si realmente creyeras en crear un millón de dólares y no fuera algo que solamente desearas?

Desear es básicamente lo que eliges cuando ya has decidido que no lo puedes tener. Cuando deseas tener un millón de dólares, en lugar de hacer preguntas y tomar los pasos para crear eso en tu vida, juzgarás el hecho de que no los tienes; juzgas el porqué no los tienes, juzgas a otras personas que sí lo tienen y juzgas que tú nunca podrás tenerlos. Te inventas una lista de razones y justificaciones de por qué no puede ser, en lugar de comprometerte con tu vida y comprometerte a crear el millón de dólares.

Hay una brillante cita de Gary Douglas "La única razón por la que eliges el juicio es para que puedas justificar aquello con lo que no tienes que estar comprometido." Cuando estás deseando, estás eligiendo estar comprometido a un juicio de lo que dices desear, estás comprometiéndote al juicio de ti, en lugar de comprometerte con la vida.

Si fueras brutalmente honesto ¿cuánto estás comprometido con tu vida en este momento? ¿10%? ¿15%? ¿20%? Lo grandioso de estar comprometido a un máximo de 20% es que cuando el millón de dólares no vengan a tu vida, no es tu culpa, porque de cualquier forma solo estabas comprometido en un 20%. ¿Y si cambiaras esto? ¿Estás dispuesto a comprometerte al 100% en tu vida?

¿Qué tal si hoy empezaras a escribir una lista de las cosas que tienes la voluntad de crear en tu vida y en tu realidad financiera, en lugar de la lista de deseos que nunca se actualizará?

Ve tu lista: pregúntate ¿estoy dispuesto a comprometerme a la creación de esas cosas? Cada mañana pregunta "¿Qué tomaría para crear esto?" y "¿Qué tengo que poner en acción para que esto ocurra?" Entonces, tienes que poner algo de esfuerzo para crearlo. Tienes que empezar a elegir y ver qué es lo que se puede presentar.

> *"¡Eligiendo en incrementos de 10 segundos pueden cambiar tus desinvitaciones al dinero a invitaciones!"*

¿Qué tal si vivieras como si tuvieras una elección nueva cada 10 segundos? ¿Sabes qué? La tienes. Puedes elegir en incrementos de 10 segundos, sabiendo que la no elección que tomes está fijada. Otra forma de ver esto es: imagina que todas tus elecciones expiran después de 10 segundos. Si quisieras seguir adelante de forma determinada, lo único que tendrías que hacer es volver a elegir, pero tienes que seguir eligiendo, conscientemente cada 10 segundos ¡así que asegúrate de que sea algo que deseas! Podrías estar casado en incrementos de 10 segundos. Puedes amar a tu pareja por 10 segundos, lo podrías odiar en 10 segundos, te podrías divorciar por 10 segundos y después volverlo a elegir en los siguientes 10 segundos. Podrías hacer esto con tu dinero. Podrías elegir el no dinero por 10 segundos, y elegir crear dinero en los siguientes 10. ¿Qué tal si elegir pudiera ser así de fácil?

Eliges algo y después tienes una toma de conciencia y entonces eliges de nuevo. Cada elección que tomas te da más conciencia de lo que es posible así que ¿porqué razón no elegirías tantas veces como pudieras? El problema es que nos atoramos en nuestras elecciones, particularmente cuando hacemos de la elección algo significativo. Hacemos una elección significativa cuando pensamos que hay una elección correcta y otra incorrecta.

Hablé con una mujer que deseaba mudarse a otro lugar de donde estaba viviendo, pero se estaba juzgando respecto a dónde se quería mudar. Ella no estaba eligiendo. Quería que su elección fuera la mejor elección, la elección correcta, la elección buena, la elección perfecta y la elección acertada. Era como si pensara que solo tenía una elección, así que tenía que ser perfecto. Pero no es así como funciona. La elección no es binaria. La elección tiene y es infinitas posibilidades.

Cuando eliges algo, esa elección crea una realidad y crea más conciencia. No crea una solidez significativa, incambiable en tu vida. Solo pensamos que es así. En gran medida hacemos esto con el dinero. Decidimos que no podemos perder el dinero que tenemos o el dinero que estamos generando actualmente, así que no elegimos cosas que puedan afectar lo que actualmente estamos haciendo. Tienes que estar dispuesto a perder dinero, tienes que estar dispuesto a elegirlo, cambiarlo y crearlo también, tienes que estar dispuesto a elegir todo.

Para salir de lo significativo de elegir tienes que practicar. Practica elegir en incrementos de 10 segundos. Empieza con cosas pequeñas. Cuando empecé a jugar con esta herramienta dije "Ok voy a caminar hacia acá. Ok, voy a elegir una taza de té ahora. ¿Ahora qué voy a elegir? Oh, voy a elegir salir a caminar. Voy a oler esta flor. Voy a sentarme en la silla. Ahora me voy a levantar y entraré." Me mantuve eligiendo y me mantenía completamente presente con cada elección. Disfrutaba de cada elección. No hacía de mi elección algo significativo, correcto, incorrecto. Solo elegía, sólo por diversión. Empieza a practicar la elección y a estar presente, ve lo que cada elección crea en tu vida. ¿Cómo se siente tu cuerpo? ¿Qué ocurre para ti?

Si la elección que haces funciona para ti ¡fantástico! Ahora sigue eligiendo. Y si la elección no funciona para ti, sigue eligiendo.

Cada vez que eliges algo ¿qué tal que pudieras darte el regalo de saber que no está sentado en piedra? Si eliges algo y te ha costado x cantidad de dólares y no funciona de la forma en que pensaste que lo harías ¡no tienes que desperdiciar tiempo y juicios regañándote por tu última elección! Sólo tienes que volver a elegir. Levántate y elige otra cosa. Mira qué tomaría crear lo que deseas y sigue eligiendo. El juicio nunca creará más dinero entrando a tu vida. La elección creará más flujos de dinero. ¿Qué elección puedes tomar ahora?

Elegir cada 10 segundos no es acerca de ser voluble y cambiar de opinión continuamente para que nunca termines las cosas. Se trata de tener más y más conciencia de las infinitas posibilidades que están disponibles para ti y poder elegir cualquier cosa con facilidad y gozo. Se trata de que sepas que puedes elegir y cambiar tu elección; puedes seguir eligiendo y crear lo que realmente deseas.

¿Qué tal si pudieras elegir algo que cambie tu vida, tu realidad, cada momento de cada día? La elección de nunca volver a juzgarte ciertamente sería una gran elección. Imagina qué diferencia crearía eso en tu vida. Si cambiaras cualquier cosa. ¿Es algo que estarías dispuesto a elegir en algún momento en este año o el siguiente? ¿Qué estás esperando?

Capítulo 11

Deja de esperar un resultado específico

Cuando se trata de elegir cosas en la vida ¿qué tanto estás esperando un resultado específico antes de que si quiera empieces? Tengo información para ti: sea lo que sea, que hayas decidido que tiene que ser, es muchas veces una limitación. El universo es capaz de darte algo más grandioso. Te quisiera dar el océano entero de lo que es posible, pero tú estás ahí sentado en la playa viendo sólo un grano de arena.

Si renunciaras a obtener un resultado específico de cómo quieres que se presenten las cosas ¿Cómo se podrían presentar las cosas más allá de lo que actualmente puedes imaginar? ¿Qué tal si en lugar de creer que necesitas un resultado específico en tu vida, te comprometieras a elegir cosas que *expandieran* totalmente tu vida y tu forma de vida, sin importar cómo se vieran?

"¿Qué puedes hacer para tener más facilidad al elegir cosas que expandirán tu futuro y crear más dinero?"

Cuando te enfrentas con la situación de elegir entre varias opciones aquí hay dos preguntas que te pueden asistir:

* Si elijo esto ¿cómo será mi vida en cinco años?
* Si no elijo esto ¿Cómo será mi vida en cinco años?

Cuando haces estas preguntas no juzgues antes de tiempo lo que "piensas" que será la mejor elección. Solo permítete percibir la *energía* de lo que cada elección crearía. Sigue esa sensación energética de qué es más expansivo, inclusive si no te hace ningún sentido lógico o cognitivo. ¿Qué tal si cada elección que haces sigue esa sensación de expansión y es algo que cambiará la realidad de otras personas y también la tuya? ¿Qué tal si cada elección que tomas de seguir la ligereza y facilidad cambiará tus flujos de dinero?

Mi pareja y yo acabamos de hacer renovaciones en la casa que nos costaron cerca de un millón de dólares. Pudimos haberlo visto desde un punto de vista negativo: "Quizá no podremos pagar eso." "¿Tendríamos que estar haciendo esto o tendríamos que estar usando nuestro dinero en algo más?" La casa está bien, realmente no necesitamos hacer eso." Pero cuando vimos qué es lo que crearía en el futuro (al preguntar "¿Cómo serán nuestras vidas en cinco años si elegimos esto?" la energía era igual a lo que deseábamos crear en nuestra vida, la elegancia, la decadencia y la belleza absoluta. La estética que Brendon ha creado es fenomenal. Esas renovaciones han contribuido a tantas posibilidades. Para empezar, Brendon ahora tiene la disposición de reconocer las capacidades que tiene para crear algo totalmente diferente. Casi todos los comerciantes que vienen a nuestra casa y entra a nuestro baño dice "¡wow nunca he visto un baño como este!" Es totalmente único y diferente, y por lo tanto genera curiosidad respecto a lo que estamos creando. Por otro lado, nuestra casa se ha valuado a una tasa mucho más alta que cuando la compramos, lo que genera más capital para tener más opciones de inversión. ¿Cómo puedes gastar dinero hoy para crear más para tu futuro que no has estado dispuesto a reconocer?

Y no te olvides que cuando te estás divirtiendo, haces más dinero.

¿Qué tal si elegir fuera tan sencillo como preparar una comida? ¿Qué tal si de pronto decidieras cambiar un ingrediente o agregar una especia diferente? ¿Qué tal si pudieras decir "No quiero cocinar hoy, vamos a cenar fuera" en lugar de pensar "Oh no, se supone que tendría que haber hecho esta receta en particular a esta hora exactamente, y si no funciona de esa forma eso quiere decir que es una mala tarde y que soy una mala persona"?

Hay áreas en nuestra vida en donde estamos dispuestos a elegir cosas diferentes rápidamente y fácilmente, pero la mayoría de nosotros hemos hecho al dinero algo sólido, real y significativo que pensamos que no podemos elegir algo diferente. La verdad es que sí podemos. El dinero es algo igual de fácil, rápido y cambiable como cualquier otra cosa.

"Otra herramienta para elegir —¡darte el gusto!

Cuando estés considerando una elección de algo y no estás seguro de querer elegir eso ¿Qué tal que te dieras el gusto de disfrutarlo? Cuando sea que estés considerando elegir algo y no estés seguro de lo que quieres elegir ¿Qué tal que te dieras permiso de darte el gusto? Darte el gusto a veces quiere decir "rendirte a, o entregarte al placer de eso."

Lo que estoy sugiriendo con esta herramienta es que disfrutes esa elección y ve cuál es la energía de ello. Digamos que te han dicho o enseñado que hay una estructura determinada que necesitas seguir en tu negocio para que sea exitoso. Si no estás seguro que funcionará, pruébalo y ve qué es lo que se creará. Hazlo por una semana completa. La siguiente semana, deja esa y elige "Esta semana no voy a seguir esta estructura de éxito. Voy a seguir la energía y elegir basado en eso." Hazlo y ve qué pasa. Cuando yo hice eso, me di cuenta que el segundo acercamiento era mucho más ligero, y es sorprendente cuántas posibilidades se presentan cuando estás dispuesto a dejar de meterte el pie.

Por ejemplo, una vez me dijo un "experto" de negocio que solo debería enviar correos de negocio durante la semana, nunca en fin de semana. Así que por una semana traté de funcionar desde la estructura que se suponía que tenía que funcionar. Me di el gusto en tomar esa elección.

Solo envié correos e hice llamadas de negocio de Lunes a Viernes. Cuando llegó el fin de semana ya había regresado a hacer lo que estaba haciendo antes que era seguir mi propia conciencia y enviando correos y llamando cuando sentía que era lo correcto. Incluso si eso implicaba enviar un correo electrónico el domingo por la noche. Me di cuenta que "las horas de negocio" no significaban nada para mí. Una hora era una hora de negocio para mí, todo es referente al gozo. Mi negocio también se expandió más cuando hacía cosas que funcionaban para mí.

Esta herramienta tiene todo tipo de aplicaciones. Cuando mi compañero Brendon y yo estábamos hablando por primera vez de rentar una casa grande, no habíamos vivido juntos antes y fue un gran compromiso para los dos. El decía "No sé si quiero hacer esto." Y yo le dije "Bueno ¿por qué no te das el gusto con ello? Así que por tres días el se dió el gusto en no mudarse conmigo, y por tres días se dio el gusto en mudarse conmigo. Al final de ese tiempo dijo "Eso fue fácil y obvio, por mucho preferiría mudarme contigo. Se siente mucho más divertido."

Cuando te das el gusto con algo, tienes mucha más conciencia de la energía que sería creada o generada si lo eligieras. Te vuelves más consciente de lo que se crearía. Así que te das el gusto con las posibilidades. Te das el gusto con los conceptos de éxito de esta realidad, la estructura del éxito, y después te das el gusto de no elegirlo. Date el gusto de seguir la energía e ir en contra de las reglas de esta realidad. ¿Cuál es más ligera para ti?

Si no tuvieras reglas, ni regulaciones, ni puntos de referencia ¿Qué crearías? ¿Qué tal si no hubiera ninguna meta o resultado ideal, sólo infinita e ilimitada creación? ¿Qué sería la aventura de hacer dinero para ti el día de hoy? ¿Qué sería la aventura de vivir el día de hoy? En la aventura no hay reglas ni regulaciones ¡hay infinitas posibilidades desde las cuales puedes elegir!

¿Qué tal si simplemente eligieras algo diferente, sólo porque es divertido para ti?

Capítulo 12

Renuncia a creer en el éxito, el fracaso, las necesidades y lo que quieres

Muchos de nosotros creemos que el éxito está definido por obtener un montón de cosas de forma correcta en la vida. Pero el éxito no es acerca de lo que hacemos bien. Una vez estaba conduciendo una serie de teleclases y alguien me dijo "Realmente disfruté de tus llamadas." Instantáneamente me enfoqué en hacer lo correcto y pensé ¡Mierda! Todavía tengo tres llamadas que hacer. ¿Qué tal si son muy malas?" ¡Eso es una locura! Estos puntos de vista pueden surgir tan rápidamente. ¿Qué tal si son realmente malos? ¿Dónde decidimos que teníamos que hacer las cosas correctamente? No hay ningún *correctamente*. No hay ningún *incorrectamente*. El éxito tampoco se trata del dinero que hay en tu cuenta de banco. El éxito es crear más de lo que deseamos en el mundo, ya que sea dinero, cambio o conciencia. ¿Cuántas veces has recibido exactamente lo que querías o lo que habías previsto? Incluso si no siempre funcionó a tu favor, has creado todo lo que realmente deseabas.

Para mi, yo deseaba cambiar la forma en que las personas ven al mundo. Si tengo éxito en cambiar el punto de vista de una persona, entonces soy exitosa. Desde ese punto de vista soy exitosa más de mil veces. ¿En donde eres ya un éxito que aún no has reconocido? Has pasado tu vida entera pensando que necesitas ser exitoso para poder cambiar las cosas. Ya eres exitoso, y si también quieres cambiar las cosas en tu vida, puedes simplemente cambiarlas.

"Cayéndote y fracasando"

Hace muchos años tuve un fuerte accidente en un caballo. Después de eso, siempre que montaba un caballo, lo montaba con el punto de vista de "¿Me pregunto cómo me voy a caer?" o "¿Me pregunto cuándo me voy a caer?" Todo giraba en torno al caerme. Cuando voy a esquiar, es totalmente diferente. Nunca tengo el punto de vista que me voy a caer. Si me caigo cuando esquío, porque esquío muy rápido, usualmente es una gran caída, con los esquís y las piernas y todo por todos lados. Y por mí está bien.

Esquío por diversión. Esquío por gozo. Siempre estoy haciendo preguntas "¿Qué más puedo hacer hoy? ¿Cuál salto puedo hacer hoy? ¿Qué tan rápido puedo esquiar a través de esos árboles?" Es una aventura. No era para nada así cuando estaba cabalgando un caballo. Conozco personas que tienen el punto de vista completamente opuesto: les encanta montar a caballo y no les importa si se caen, pero se espantan si esquían. Lo único que crea la diferencia entre lo que es divertido, lo que es caerse y lo que es fallar, es nuestro punto de vista y nada más. El fracaso es una mentira total. El juicio siempre te impedirá crear más.

¿Qué has decidido que tienes que hacer correctamente? ¿Has decidido que tu negocio tiene que ser correcto? ¿O que tienes que tomar la decisión correcta? ¿O que tienes que evitar tomar decisiones incorrectas o evitando caer y fallar? ¿Qué tal si supieras que las elecciones crean conciencia? ¿Has gastado un montón de dinero en algo que no funcionó? Okey, la elección crea conciencia. Así que ¿qué quieres elegir hoy? Una elección que no funcionó como tú planeaste no es un fracaso o algo incorrecto, sólo es un resultado diferente a lo que tú pensabas.

"¿Qué tal si fuera tiempo de ser tan diferente como en verdad eres?"

¿Qué tal que *tú* no fueras un fracaso ni estuvieras equivocado, sino solo fueras diferente? ¿Qué tal si fueras diferente a como pensaste que eras, y puedes empezar a elegir algo que funciona para *ti* y para nadie más? ¿Realmente vas a fracasar? ¿O vas a crear algo que es totalmente diferente de lo que has creado antes?

Aquí hay un ejercicio que puedes hacer para reconocer la diferencia que eres y renunciar a la mentalidad del fracaso:

1. Escribe lo que consideras que han sido tus fracasos en la vida. ¿Fracasaste en tu negocio? ¿Elegiste algo y perdiste dinero? ¿Terminaste una relación amorosa de forma terrible? ¿Reprobaste matemáticas en la escuela? Una vez que los hayas escrito observa cada uno de ellos y pregunta para cada uno de ellos "¿Si no juzgara esto como un fracaso ¿Qué contribución puedo recibir de esto?" y "¿Qué conciencia se creó en mi vida por esto que, de otra manera, no tendría?" Escribe lo que venga a tu cabeza. Sal del juicio de tu elección y pide tener mayor conciencia de la contribución, el cambio y las tomas de conciencia que han creado para ti.

2. Escribe lo que piensas que son tus "equivocaciones personales." ¿Por ser y hacer qué, te juzgas? ¿Procrastinar? ¿Ser desordenado? ¿Siempre tener que ser perfecto? Nota las cosas por las que te juzgas de equivocarte. Pregunta "Si quitara mi juicio o lo equivocado de esto ¿cuál es la fortaleza/potencia que esto pudiera ser?" Quizá pienses que no haya ninguna fortaleza/potencia en procrastinar pero yo encuentro que la mayoría de las personas que procrastinan es que tienen una gran conciencia del tiempo de las cosas, que aún no han reconocido, o, de hecho, son capaces de crear mucho más de lo que pensaban y no tienen suficientes cosas pasando en su vida. Lo que estaban juzgando: la procrastinación, es realmente una fortaleza/

potencia y una capacidad que aún no han reconocido o de la cual aún no han tomado total ventaja de ello. ¿Qué tal si algo así fuera cierto para cada una de tus "equivocaciones"? ¿Cuántas fortalezas/potencia puedes empezar a descubrir con este ejercicio? Quizá pronto descubras que no estás equivocado.

"No quiero ni necesito dinero ¡Y tú tampoco!"

El dinero no viene a las personas que creen en la carencia. La verdad es que no careces de nada. Si estás vivo, entonces no careces. Si despiertas en la mañana, tienes todo lo que necesitas para crear todo lo que deseas. Las necesidades y lo que quieres son acerca de vivir en la mentira de la carencia.

¿Sabías que la definición original de "querer" en cualquier diccionario antes de 1946 tiene 27 definiciones que se refieren a "la carencia" y sólo una que quiere decir "desear" ¡Cada vez dices "yo quiero" en realidad estás diciendo "yo carezco"!

¿Harías algo por mi ahora?

Di en voz alta 10 veces seguidas: "Quiero dinero". Házlo ahora. ¿Cuál es la energía que surge cuando lo dices? ¿Es ligera, divertida o pesada y tirando hacia abajo?

Ahora di 10 veces seguidas en voz alta "Necesito dinero." ¿Obtuviste un resultado similar?

Finalmente intenta decir "No quiero dinero" en voz alta, por lo menos 10 veces seguidas y nota… ¿Se siente diferente? ¿Te empezaste a aligerar? ¿Quizá te empezaste a relajar, sonreír o incluso te reíste un poco?

Esa ligereza que sientes es el reconocimiento de lo que es verdad para ti. Porque, realmente, no careces de nada.

"Necesidad y elección"

El año pasado regresé a casa después de un tour que se sintió que duró cinco mil años. Después de estar acostumbrada a estar viviendo en cuartos de hotel que siempre tienen servicio y entrar a la casa que tenía polvo y mugre de las renovaciones, me puse de malas de que las cosas no estuvieran "bien" en la casa. Me quejé "Me gustaría que por una vez pudiera entrar a la casa y que todo estuviera en su lugar y estuviera limpio." Brendon me preguntó "¿Qué estás haciendo? ¿Qué hay detrás de todo esto?" y yo le dije "¡Ya no quiero jugar al juego de la casita! ¡Ya no quiero hacer esto! ¡No quiero llegar a la casa y que tengamos una lavadora llena y después haya que limpiar trastes!" De hecho, me encanta estar en casa, pero la energía que yo había creado con la molestia no era muy creativa, era contraída. Empecé a concluir desde el enojo, una frustración, que tenía que encargarme de ello, que era una necesidad y un problema, que no había salida. No estaba viendo lo que podía crear. Estaba pensando que no tenía elección en cuanto a cómo estaba la casa.

Brendon dijo "Estamos ganando suficiente dinero, podríamos contratar a alguien. Sé que tenemos a una persona que viene a limpiar una vez por semana, podríamos contratar a alguien más para que viniera un par de horas y hacer eso" y él tenía razón. Cuando me di un momento para respirar y verlo, pregunté "¿Sabes qué?" Me gustaría que mi casa estuviera así, me gustaría elegirlo" todo se volvió más sencillo. En lugar de concluir que tenía que lidiar con ello de cierta manera (que yo era quien tenía que limpiar la casa) una necesidad, podía ver las opciones que tenía, podía dejarla sucia, podía limpiarla yo misma o podía elegir contratar a alguien que limpiara y estoy segura que había otras opciones disponibles que aún no había considerado. Ahora tenemos a un administrador de propiedades que se encarga de todas esas cosas para nuestras propiedades. Fácil.

¿Qué tal si todo fuera una elección? Incluso levantarse por la mañana es una elección. No tienes que hacerlo. Piensas que tienes que hacerlo, pero realmente, es una elección que haces. ¿Qué tal si fuera una elección que pudieras hacer gozosamente? Eliges vivir con tus hijos y con tu esposo. Eliges seguir yendo al trabajo cada día. ¿Qué te gustaría elegir?

Justo como el éxito y el fracaso son una mentira, también lo son tus necesidades y lo que quieres. Para ti, realmente se trata de elegir, de tener conciencia y de más elección. Y así es como creas dinero, eligiendo, eligiendo y eligiendo de nuevo. Si eliges no juzgarte ni a ti ni nada en tu vida, no puedes seguir creyendo que eres un fracaso, o que careces. Cuando eliges nunca juzgarte, empiezas a ver que lo correcto e incorrecto, lo bueno y lo malo, y toda esa polaridad no es ni real ni verdad y que todo lo que tienes que hacer es elegir más o menos de lo que deseas. Depende totalmente de ti.

Capítulo 13
Ten y sé permisión

Permisión es donde eres la roca en la corriente. Todos los puntos de vista en este mundo acerca del dinero pasan por encima de ti, pero no tienes que cargar con ellos. No te conviertes en el efecto de todo alrededor de ti.

¿Qué tan a menudo asumes el juicio de los demás acerca de ti y permites que te lleven a un hoyo negro, en donde te sientes mal, incorrecto, molesto o herido? La permisión te da la habilidad de no asumir los juicios de otras personas, o de juzgarte a ti mismo, no importa lo que ocurra.

En algún momento, había unas personas en Australia que conocía desde hace varios años que me juzgaban sin parar. Estaban diciendo cosas de mí que eran desagradables y crueles. Estaba molesta y hablé con un amigo al respecto.

Mi amigo me dijo "Tienes que ser una poderosa hija de puta para que eso esté ocurriendo.

Dije "¡Oh!" Mi amigo dijo, "Voltea a ver *sus* vidas, y después voltea a ver *tú* vida."

Vi cuánto había crecido mi vida en los años en que los conocía y lo pequeñas que sus vidas se habían vuelto. Me di cuenta que en realidad no me estaban juzgando a *mi*. Estaban juzgando lo que *ellos* no habían estado dispuestos a crear. Ahora reconozco que cuando alguien me está juzgando, usualmente no se trata de *mi*, es acerca de *ellos*. ¿Qué

117

tal si estuvieras dispuesto a recibir los juicios que los otros tienen de ti? ¿Qué tal si estuvieras dispuesto a recibirlo todo?

¡Usa esto como herramienta! Si te encuentras juzgando a alguien, pregúntate qué juicio tienes de *ti* respecto a esta persona. Ve si eso empieza a aligerarse. El juicio no es real y la permisión crea posibilidades.

Es también importante reconocer que la permisión no es aceptación. No es tratar de creer que todo está bien. Elegí no tener a esas personas como amigos cercanos. No decidí que tenía que aceptar lo que estaban haciendo y aguantarlo, aún los incluía en mi vida, y estaba en permisión de que ellos eligieran juzgarme. No necesitaba que ellos cambiaran para tener una sensación de libertad y no estar al efecto de sus juicios.

"¿Estás dispuesto a estar en permisión de ti?"

¿Te has dado cuenta que estás mucho más dispuesto a renunciar a tus juicios de otras personas de lo que estás dispuesto a renunciar a los juicios de ti? Esto es porque realmente no eres una persona criticona. Realmente no juzgas a otras personas. Sin embargo, te juzgarás a ti mismo 24/7 por toda la eternidad, y mientras seguirás pensando que estás criticando a las otras personas. ¿Qué tal si renunciaras a juzgar cualquier cosa de ti mismo? La mayoría de los juicios que tenemos de nosotros mismos, 99% de ellos son los que hemos recogido de la mayoría de las personas de nuestro alrededor. Los hemos visto juzgarse a sí mismos y a otros, hemos aprendido a tomar eso y te has comprado todo eso. ¿Interesante elección no?

¿Estarías dispuesto a ser mucho más gentil contigo? Puedes reconocer "Justo ahora estoy eligiendo juzgarme. Voy a disfrutar de ello por un minuto y después voy a elegir dejar de juzgarme." Puedes elegir juzgarte, y puedes elegir dejar de juzgarte. ¡No juzgues tu juicio! Puedes creer que estás muy jodido hasta por un minuto, 20 minutos o por un día, o 10 años si realmente es lo que quieres. Después puedes hacer una pregunta como "¿Qué está bien de mí que no estoy viendo?"

Permisión por ti quiere decir nunca juzgarte, aunque estés juzgando. Incluso si te equivocaste o hiciste algo que sabes que no ha sido tu elección más brillante. ¿Qué tal si nada de eso estuviera equivocado? ¿Qué tal si nada de eso fuera incorrecto? ¿Qué tal que no haya nada que hayas sido o hecho está mal? ¿Y qué tal que nada de ti está mal?

¿Y qué tal que nada de ti está mal? ¿Qué regalo en tu vida podría ser tener total permisión de quien realmente eres? Imagina nunca juzgar tus elecciones respecto al dinero nunca más. No tendrías que pensar acerca de evitar cometer errores en el futuro, serías libre de crear cualquier cosa y todo lo que deseas, serías libre de cambiar y elegir. Pero no elijas eso ¡eso sería demasiada diversión!

"No trates de cambiar a las personas"

A menudo me hacen una versión de la siguiente pregunta: "¿Cómo puedo convencer a mi pareja a que tenga actitudes más positivas respecto al dinero?" doy la siguiente respuesta: "No es tu asunto convencer a tu pareja de que tenga más actitudes positivas respecto al dinero. Tienes que estar dispuesto a que él o ella elija cualquier cosa. Tienes que estar en total permisión de las elecciones de tu pareja ya sea de tener dinero o no tener dinero.

Si *tú* estás dispuesto a tener actitudes positivas respecto al dinero, si tú estás dispuesto a tener la felicidad de la vida y vivir y que haya flujos de dinero para ti, quizá te sorprenda ver lo que se presenta para tu pareja.

También tienes que estar dispuesto a ser tú. ¿Te has detenido a ti mismo por tu pareja, tu familia o las personas alrededor de ti? ¿Qué tal si ahora eliges para ti?

Hubo un momento en que mi pareja estaba pasando por un momento difícil. Estaba acostado en el sofá al final del día, triste y deprimido. No traté de arreglarlo o cambiar nada. Solamente estuve presente y continué con mi vida. Finalmente, después de varios días me dijo "¡Puedes dejar de estar tan feliz!" Nos hizo reír mucho a los dos porque le dio la energía de lo que él estaba eligiendo y vio cuánta energía estaba poniendo para estar triste y deprimido.

Tú siendo tú y eligiendo lo que eliges, no importa lo que se requiera, no importa cómo se vea, invitará a otros a una posibilidad diferente. Por favor no trates de decirle a tu pareja qué hacer. Nunca funciona. ¿A ti te gusta que te digan qué hacer o que tienes que cambiar tu actitud, tu perspectiva o algo que estés haciendo? Es una de las peores cosas que le puedes hacer a alguien. Van a terminar resistiéndote y odiándote por ello. Deja que las otras personas elijan lo que eligen y tú sigue eligiendo lo que tú eliges.

Capítulo 14

Estar dispuesto a estar fuera de control

A veces la vida puede parecer un poco caótica. Hay tantas cosas que están pasando. Hay tantas cosas que hacer. Muchas veces equivocadamente llegamos a la conclusión de que si las cosas las tuviéramos bajo control, se mejoraría. Que si todos hicieran lo que les dijimos que hicieran las cosas serían más sencillas. ¿Sabes que no puedes controlar a nadie más verdad? ¿Estarías dispuesto a renunciar a ser el controlador compulsivo de magnitud que eres?

¿Has notado que entre más tratas de controlar las cosas, lo más difícil y más estresante se vuelve? ¿Qué tan chiquitos tienes que crear todos los componentes de tu vida para poder controlarlos con facilidad? ¿Cuán chico has hecho al dinero para que lo puedas controlar? ¿Cuál es la más grande cantidad de dinero que puedes manejar antes de que dejes que otras personas te ayuden a manejarlo? Cualquiera que sea la cantidad, eso es lo máximo que te permitirás tener en la vida. ¿Piensas que los multi-millonarios controlan todo lo relacionado a su dinero? ¡No! Tienen administradores, contadores, asesores financieros y todo tipo de personas manejando su dinero.

Las personas que son maravillosas con el dinero saben que no tienen que controlar cada detalle, pueden contratar personas que son mejores que ellos en ese tipo de cosas. Pero están *dispuestos* a estar conscientes de su dinero. Están dispuestos a estar conscientes de cuando las cosas están funcionando, o de cuando no están funcionando y hacer preguntas cuando algo no se siente precisamente bien. ¿Qué tal que el estar *fuera* de control te abriera a tener más cosas pasando y con mucha más facilidad de lo que hubieras imaginado? ¿Qué tal si no tener que definir, confinar, delinear, conformarte o crear una estructura te diera libertad y te permitiera tener una vida mucho más grande y más gozosa?

Hubo un tiempo en donde sentía que estaba manejando sola tantas cosas. Le dije a Gary que me sentía completamente abrumada.

Gary dijo "Hablemos de la diferencia entre estar abrumada y estar atascada. Abrumada es cuando piensas que no puedes manejarlo. Atascada es estar atrapada en los detalles más pequeños de todos los diferentes proyectos y todas las cosas que se necesitan hacer."

Le dije "Eso es lo que está pasando. Estoy totalmente atascada." En lugar de soltar las riendas y permitir que los caballos vayan en diferentes direcciones, estaba creando control para que "todos los caminos lleven a Simone."

Gary y yo hablamos acerca de quién podría ayudarme con algunas cosas, y a pesar de que veía que estaba inmersa en los detalles, estaba reacia a dejar ir algunas de las cosas y dejar que los otros lo hicieran. No quería que se cometiera ningún error con los negocios de Access. Gary me recordó que los errores son parte de la creación también. Él dijo "No hay equivocaciones. Tienes que contratar a personas fantásticas para trabajar contigo y tú tienes que estar dispuesta a que ellos se equivoquen. Tienes que estar dispuesta a que ellos cometan errores, porque cuando ellos se equivoquen, crearán algo más grandioso."

Finalmente entendí que necesitaba soltar los pequeños trabajos a los que me había estado aferrando. Cuando tuve personas que hicieran los trabajos y los dejé ir, creó mucho más espacio para mi. Podía crear mucho más en mi vida, con mi negocio, con Access, con mucha más facilidad. Esto quería decir que mi dinero y mis ingresos también podrían incrementar más dinámicamente también.

¿Qué tal si pudieras crear tu vida, tu negocio y diferentes flujos de dinero expandiendo tu conciencia y soltando lo que has estado tratando de controlar?

> *"¿Qué tal si pudieras crear brillantemente desde el caos?"*

¿Qué tal si crearas cosas maravillosas desde el caos? Antes me juzgaba mucho por ser una creadora muy caótica. Alguna vez tuve un socio de negocio que era muy organizado. Tenía listas con actividades pendientes por hacer y las quitaba una vez que estuvieran hechas. Yo no podía hacer eso. Hacía una llamada y después me ocupaba de algunas cuestiones con clientes, después trabajaba en la nueva gama para el siguiente año y la lista seguía. Estaba por todos lados (según él). Cuando él iba a dejar el negocio, yo tuve que ver si vendía la compañía o me la quedaba al mando. Él me dijo "¡Simone, tú eres demasiado desorganizada para encargarte de este negocio por tu cuenta!" Yo pensaba que él sabía más del negocio de lo que yo sabía. Pero cuando vi todas las cosas que había hecho en el negocio, yo sabía mucho más que él, solo era su juicio de que yo no sabía lo que estaba haciendo por la forma en la que yo estaba haciendo negocios que era más caos, cuando él era más orden.

Veo personas cuando sienten que tienen un millón de cosas que hacer, empujan cosas alejándolas y destruyen un futuro de posibilidades en lugar de preguntar "Hay muchos proyectos presentes ¿Qué preguntas puedo hacer hoy para crear todo esto con facilidad? ¿A quién o qué más puedo agregar a mi negocio y a mi vida? ¿Qué tomaría para que esto fuera fácil y qué requiere mi atención hoy?" No tienes que trabajar en todo cada día. Cada día es diferente, cada día es una aventura. Cada día necesitas empezar a funcionar desde el no juicio de lo que estás creando o no estás creando.

Cuando creas desde el caos, cualquier cosa es posible.

Durante la siguiente semana, trata de dejar ir las riendas de todo a lo que te has estado aferrando tan fuertemente. Suelta los proyectos, la familia, los amigos, el dinero al que has estado tratando de controlar y ve si algo se puede presentar. En lugar de tratar de manejar cada detalle o con cada cosa pregunta: ¿De qué tengo que estar consciente hoy? Pregunta qué requiere tu atención hoy y lidia con ello. Si despiertas en la mañana y preguntas "¿Qué sigue?" "¿Qué o quién me requiere ahora, y en qué necesito trabajar, a quién necesito llamarle?" puedes poner tu atención en algo y después moverte a algo más, y después a otra más. ¿Qué tal si esa forma de funcionar no estuviera mal? ¿Qué tal si no estuvieras siendo "distraído" ¿o no estuvieras procrastinando? ¿Qué tal si así fuera la forma en que tú creas?

Te sorprendería de lo que puedes crear cuando te permites tener el gozo de crear desde el caos. Esto aplica en todos los aspectos de tu vida: relaciones, negocios, familia, flujos de dinero, tu cuerpo. Recuerda, no estás solo en el universo, el universo te contribuirá a crear todo lo que deseas, así que pide más.

¿Qué no has estado dispuesto a soltar, o dejar ir el control sobre, que si lo soltaras y dejaras ir el control de ello, crearía más espacio para ti?

Capítulo 15

Una nota sobre el flujo de efectivo

Una vez me reuní con un hombre de negocios muy exitoso en Sud África. Él era huérfano. A los 15 años lo corrieron del orfanato (porque después de esa edad ya se tenía que cuidar de uno mismo) así que se fue con su mochila, vio lo que él quería crear con su vida e hizo una gran demanda de sí mismo para crearlo. Se educó y se convirtió en abogado. Ha creado negocios enormes en Sud África: grandes resorts, una compañía de telecomunicaciones y más.

Me senté a hablar con él porque estaba muy interesada en la forma en que él había creado. Parecía haber una enorme generosidad de espíritu en el acercamiento para crear su negocio y su vida. Una de las cosas que me dijo fue: "Hay tras cosas que tienes que recordar: gratitud, creer y confianza. Y después, está el flujo de efectivo." Me reí, sabiendo que él estaba en lo correcto.

Continuó: "Si no tienes flujo de efectivo, te limitas a ti mismo. Tienes que seguir viendo cómo seguir adelante sin detenerte a ti mismo y estar consciente del flujo de efectivo también."

Mira el flujo de efectivo que actualmente tienes o no tienes. ¿Qué tomaría tener flujos de dinero continuos en tu vida? Si tienes flujos de efectivo, eso crea más facilidad, más espacio para las posibilidades, elimina los lugares en donde dices "No tengo" o "Yo estoy sin." ¿Qué tal si no tuvieras que poner todo en una sola canasta con respecto al dinero? ¿Qué tal si hubiera muchas posibilidades (flujos de ingreso) para el dinero que pudieras elegir?

¿Y qué tal que crear flujos de efectivo fuera realmente acerca de jugar con las posibilidades y estar totalmente consciente de tu realidad financiera?

¿Cuántos flujos de dinero puedes crear? ¿Qué te trae gozo para que te pudiera generar dinero? ¿De qué tienes curiosidad?

Estoy increíblemente ocupada con todo lo que elijo hacer con el trabajo y también tengo otros flujos de dinero y creación, y sigo pidiendo que se presenten más cosas. ¿Te interesan las antigüedades, las divisas, la bolsa de valores, comprar y vender cosas en E-bay? ¿Qué es para ti el que puedas crear más flujos de dinero en tu vida que no has estado dispuesto a reconocer?

¿Qué más existe ahí afuera en el mundo con respecto al dinero que sería divertido para que lo descubras? Empieza a educarte respecto al dinero. ¿Cuáles son las caras y los símbolos en tu moneda corriente? ¿Sabes cuál es la denominación más grande en billetes en tu país o en otros países? ¿De qué color es cada uno, no sólo en tu propia moneda sino en las demás monedas también? Familiarízate con el dinero, no lo evites, admíralo, juega con él, reconócelo.

Cuando estuve dispuesta a educarme respecto al dinero y a las innumerables maneras en que podía contribuir a mi vida, empecé a estar dispuesta a tener dinero. No estar dispuesta a educarme respecto al dinero creó deuda. Ahora que estoy dispuesta a educarme respecto al dinero, a tener dinero, a jugar con el dinero, crea más. Y no desde lo significativo de ello, pero realmente desde el *gozo* de él, y de la elección.

¿Qué tal si por estos 10 segundos, no importando lo que pasa a tu alrededor, eligieras jugar? ¿Qué tal si eligieras vivir tu vida desde la celebración que realmente puede ser e invitaras al dinero a jugar en la fiesta de tu vida? ¿Qué tal que eligieras estar alegre, estar agradecida, de seguir eligiendo no importando qué?

¿Qué tal que crear tu realidad financiera fuera realmente una exploración continua de las infinitas posibilidades de crear tu vida con gozo, incluyendo tus flujos de ingreso y dinero? ¿Qué más es posible que aún no has considerado?

Por favor usa este libro y sus herramientas al ir cambiando tu realidad financiera. Se necesita valor para seguir eligiendo siempre algo más grandioso, algo diferente y que no es cómodo todo el tiempo. Si estás leyendo este libro, si estás vivo en este planeta, justo ahora, tienes el valor y tienes la capacidad. Lo único que tienes que hacer ahora es elegir.

Tercera Parte

Resumen y herramientas

RESUMEN DE CAPÍTULOS, PREGUNTAS Y HERRAMIENTAS

Este capítulo contiene una referencia sumarizada de los principales puntos, preguntas y herramientas del libro. Una cosa es leer como alguien más cambió su realidad financiera, de hecho, puede ser frustrante. El aspecto único de este libro es que yo usé las herramientas de Access Consciousness para cambiar mi realidad financiera, y tú también puedes. Sin embargo tienes que seguir eligiendo, sin importar qué tan incómodo se vuelva. Si usas estar herramientas todos los días, cambiarás tu realidad financiera por siempre. Que empiecen las aventuras.

PARTE UNO: NUEVA REALIDAD FINANCIERA 101
Capítulo 1: ¿Qué genera dinero?

EL DINERO NUNCA SE PRESENTA DE LA FORMA EN QUE PIENSAS

El dinero no es lineal.

El dinero no se presenta en tu vida de una forma lineal, se puede presentar de muchas diferentes maneras, de muchos distintos lugares. Si quieres generar más dinero en tu vida, tienes que estar abierto a todas las formas mágicas y milagrosas, incluso si es totalmente diferente a lo que has considerado. ¿Qué tal que pudieras tener flujos ilimitados de ingreso? ¿Qué tal que pudieras crear dinero de formas en que nadie más puede? ¿Qué tal que no tuvieras ningún punto de vista respecto al dinero?

PREGUNTAS

- ¿Cuáles son las formas ilimitadas en el que el dinero se puede presentar para mi ahora?
- ¿Estoy dispuesto a dejar de computar, definir o calcular cómo el dinero se presentara en mi vida y permitir que el dinero entre en mi vida de formas aleatorias, mágicas y milagrosas?

No resuelvas cómo el dinero se tiene que presentar

El universo manifiesta, tu actualizas. Manifestar es "cómo" las cosas se muestran, y no es tu tarea el resolver cómo. Actualizar es pedir que algo se presente, dejando que el Universo se encargue de manifestarlo, y estar dispuesto a recibirlo, como sea que se presente.

PREGUNTAS

- ¿Qué tomaría para que esto se presente?
- ¿Qué tomaría para que esto se actualice en mi vida inmediatamente?

Se paciente

El universo tiene una infinita capacidad de manifestar, y usualmente tiene una forma mucho más grande y mágica de hacerlo de lo que puedes predecirlo. Algunas veces el universo tiene que mover cosas para poder crear lo que tú deseas.

No te juzgues, sé paciente y no limites las futuras posibilidades.

El dinero no sólo es efectivo

Hay tantas maneras en que los flujos de dinero pueden entrar en tu vida, pero si no estás dispuesto a reconocerlos, si piensas que se tienen que ver de cierta manera, vas a pensar que no estás cambiando las cosas, cuando de hecho, lo estás.

Empieza a reconocer las diferentes maneras en que el dinero se presenta en tu vida. Cuando un amigo te compra un café o alguien te regala algo. Eso es dinero. Eso es recibir.

PREGUNTAS

- ¿En dónde más estoy recibiendo dinero que no estoy reconociendo?
- ¿En dónde más puedo recibir dinero que nunca he reconocido?

PREGUNTA Y RECIBIRÁS

El dinero no juzga

El dinero se presenta a las personas que están dispuestos a pedir y que están dispuestos a recibirlo.

Recibir es simplemente estar dispuesto a tener infinitas posibilidades de que algo entre a tu vida, sin tener un punto de vista de qué, dónde, cuándo, cómo o porqué se presenta. En otras palabras, cuando pierdes tus juicios de dinero y de ti en relación al dinero, puedes recibir más.

¿Qué tal que no tuvieras que tener una razón de pedir dinero?

¿Qué tal que pudieras tenerlo sólo porque es divertido?

¿Qué tal si solamente tuvieras que pedir para que se presente?

EL DINERO SIGUE AL GOZO, NO AL REVÉS

Si tu vida fuera una fiesta ¿el dinero quisiera ir?

Si vieras a tu vida actual como una fiesta ¿Qué tipo de invitación serías para el dinero?

¿Qué tal si empezaras a vivir tu vida como la celebración que puede ser, hoy? ¿Qué tal que no tuvieras que esperar a que el dinero viniera?

¿Qué te trae gozo?

La energía que creas cuando te estás divirtiendo, cuando estás totalmente, felizmente involucrado en algo que amas, es generativo. No importa cómo creas esa energía.

PREGUNTAS

* ¿Qué me gusta hacer?
* ¿Qué me trae gozo?

132

¡Tu negocio es tu vida, tu vida es tu negocio!

Si estás vivo, tienes un negocio: se llama ¡el negocio de vivir! ¿Con qué energía estás corriendo tu vida? ¿Te estás divirtiendo?

HERRAMIENTA: HAZ ALGO QUE DISFRUTES CADA DÍA

» Empieza a hacer cosas que disfrutes durante una hora completa al día y un día completo a la semana.

DEJA DE HACER AL DINERO SIGNIFICATIVO

Cuando haces al dinero significativo, no puedes cambiarlo

Lo que sea que hagas significativo, lo haces más grandioso que tú. Empieza a reconocer los lugares en donde hayas hecho del dinero algo significativo, y mantente dispuesto a salir de ese punto de vista y crear una diferente realidad para ti.

PREGUNTAS

• ¿Cuán significativo estoy haciendo al dinero en este momento?
• Si el dinero no fuera significativo ¿qué elegiría?

Capítulo 2: ¿Qué cambia la deuda?

TU PUNTO DE VISTA CREA TU REALIDAD (FINANCIERA)

¿Cuál es tu punto de vista respecto a la deuda?

Si quieres cambiar la deuda, empieza a cambiar tu punto de vista. El punto de vista que has tenido acerca del dinero hasta hoy ha creado tu situación monetaria actual.

En lugar de juzgar la deuda que has creado, empodérate haciendo preguntas para que puedas cambiar las cosas.

- ¿Qué más es posible?
- ¿Qué puedo hacer y ser para cambiar esto?

¿Has decidido que lo sólido y pesado en tu vida es real?

¿Qué has decidido que es real y que no es real para ti? ¿Por qué has decidido que es real? ¿Por qué esa fue tu experiencia en el pasado? ¿Porque se "siente" real: pesado, sólido, sustancial o inamovible? ¿Has decidido que lo que es sólido y pesado en la vida es real? ¿Algo que es verdad para ti se sentiría como una tonelada de ladrillos o te haría sentir más ligero y feliz?

HERRAMIENTA "INTERESANTE PUNTO DE VISTA QUE TENGO ESTE PUNTO DE VISTA"

- Durante los siguientes tres días, por cada pensamiento, sentimiento y emoción que surja (no sólo respecto al dinero, sino de cualquier cosa) qué tal que te dijeras a ti mismo: "interesante punto de vista que tengo este punto de vista". Repítelo algunas veces hasta que se evapore.

HERRAMIENTA: LO QUE SE SIENTE LIGERO ES VERDAD Y LO QUE SE SIENTE PESADO ES UNA MENTIRA

- Cuando algo es verdadero para nosotros, y lo reconocemos, crea una sensación de ligereza y expansión en nuestro mundo. Cuando algo no es real, como un juicio o una conclusión a la que hemos llegado, es pesado y se siente contraído o sólido.

RENUNCIANDO AL CONFORT DE LA DEUDA

¿Qué amas de estar en deuda y de no tener dinero?

Si estás dispuesto a hacer algunas preguntas, podrás reconocer lo que te mantiene atorado. Si no lo reconoces, no lo puedes cambiar.

PREGUNTAS

- ¿Qué amo de tener deuda?
- ¿Qué amo de no tener dinero?
- ¿Qué amo odiar acerca de no tener dinero?
- ¿Qué odio amar acerca de no tener dinero?
- ¿Qué elección puedo tomar hoy que puede crear más hoy y en el futuro?

ESTAR DISPUESTO A TENER DINERO

Hay una diferencia entre tener, gastar y ahorrar dinero.

La mayoría de las personas sólo quieren tener dinero para poder gastarlo. Tener dinero es diferente. Tener dinero se refiere a dejar que el dinero te contribuya a que tu vida crezca.

Ahorrar dinero es para guardarlo para una época de vacas flacas. Ahorrar dinero y tener dinero es diferente.

Eres alguien que pregunta "¿Cómo puedo ahorrar dinero?" ¿Hay una energía generativa en esa pregunta? ¿Parece que expande tus elecciones o las limita? ¿Hay algún lugar donde estés intentando ahorrar dinero? Intenta preguntar: "Si gasto este dinero que estoy intentando ahorrar ¿va a crear más hoy y en el futuro?"

¿Cuáles son las infinitas formas en que puedo generar más dinero?

¿Qué energía necesito ser para crearlo con facilidad?

DEJA DE EVITAR Y REHUSAR EL DINERO

¿Estás viviendo en un "universo de no elección?"

¿Hay algún lugar en tu vida en donde rehúsas o evitas ver tu situación monetaria? ¿Tienes muy buenas razones para hacer cosas simples y sencillas para crear más dinero? Cuando evitas algo, lo rehúsas o no estás dispuesto a tener algo, no te permite tener más elecciones o crear más. Tienes que estar dispuesto a ver en dónde estás creando un universo de no elección, y estar dispuesto a cambiarlo.

¿Qué es lo peor que pudiera pasar si dejaras de evitar el dinero?

¿Qué has decidido que es lo peor que pudiera pasar si no evitaras tener dinero o evitaras tu deuda? ¿Qué podría cambiar si estuvieras dispuesto a tener total conciencia de tu realidad financiera? ¿Evitas hacer cosas nuevas que te pudieran generar más dinero?

Si no lo evitará, ¿qué podría cambiar?

¿Qué formas fáciles de hacer dinero tengo que he estado evitando?

GRATITUD

¡Ten gratitud por el dinero!

Cuando recibes dinero, nota cuál es tu punto de vista instantáneo. ¿Estás agradecido por cada dólar, cada centavo, que entra a tu vida? O tiendes a pensar "Eso no es mucho" "Esto va a cubrir esta cuenta por pagar" "Desearía tener más."

HERRAMIENTA: PRACTICA LA GRATITUD CUANDO ENTRE Y SALGA EL DINERO

- Practica decir: "¡Gracias, estoy muy agradecido que hayas venido!" ¿Puedo tener más por favor?"
- Cuando pagues una cuenta, sé agradecido que lo pagaste y pregunta "¿Qué tomaría para que este dinero regresara a mi multiplicado por diez?

¿Estás dispuesto a estar agradecido por ti también?

Tienes que tener gratitud por todo lo que estás creando, lo bueno, lo malo y lo feo. Si lo juzgas, no podrás ver el regalo de tu elección, y no te permitirás recibir las posibilidades que ahora están disponibles por ello. Si tienes gratitud, puedes tener una realidad totalmente diferente. En lugar de juzgarte, o cualquier cosa que se presente en tu vida, busca el regalo por el cual puedes estar agradecido.

PREGUNTAS

- ¿Qué está bien de esto?
- ¿Qué está bien de mí que no estoy viendo?

¿Estás agradecido cuando es demasiado fácil?

¿Descartas lo que se presenta en tu vida cuando vienen demasiado fácil? ¿Estarías dispuesto a cambiarlo? "Cuando el dinero viene fácilmente y tú estás agradecido por ello, estás en camino de tener un futuro con más posibilidades." – Gary Douglas

PREGUNTAS

- ¿Qué tomaría para tener gratitud por cada centavo que se presente?
- ¿Qué gratitud puedo ser que permitiera que el dinero viniera con facilidad y gozo a mi vida?

Capítulo 3: ¿Cómo creas una nueva realidad financiera inmediatamente?

¿Luchar o no luchar?

Muchas personas no piensan que tienen la elección de estar tristes, contentos, de malas, relajados. Las circunstancias externas no crean la forma en que nos sentimos. El dinero no crea la forma en que nos sentimos acerca de las cosas. Es solo una elección que puedes hacer.

PREGUNTAS

- ¿Estoy pretendiendo que no tengo elección con esto?
- ¿Qué elecciones tengo aquí?

ESTAR DISPUESTO A HACER LO QUE SE REQUIERA

Comprometerte a nunca renunciar a ti.

Estar comprometido contigo es estar dispuesto a tener una aventura de vivir y elegir lo que funcione para ti, aunque sea incómodo, o aunque implique hacer cambios que nadie más entienda.

No puedes demandar nada a nadie excepto a ti mismo.

Empiezas a crear tu vida cuando finalmente has demandado "No importa lo que tome, no importa como se vea, voy a crear mi vida. No voy a vivir bajo el punto de vista o realidad de nadie más. ¡Voy a crear la mía!

PREGUNTAS

¿Estoy dispuesto a demandar de mí el crear lo que deseo en la vida, sin importar qué?

Estar dispuesto a perder, crear y cambiar cualquier cosa

La definición de Einstein de insania era hacer la misma cosa esperando un resultado diferente. Necesitas cambiar la forma en que estás funcionando para crear un resultado diferente.

Si has estado tratando de cambiar algo en tu vida y no está cambiando, voltea a ver en dónde estás haciendo lo mismo, de forma *diferente*, en lugar de elegir hacer algo completamente *diferente*.

PREGUNTAS

¿Qué he decidido que es incambiable?

¿Qué no he estado dispuesto a perder?

¿Qué más podría elegir si estuviera dispuesto a perder estas cosas?

¿Qué puedo ser y hacer diferente para cambiarlo?

RENUNCIANDO A TUS RAZONES LÓGICAS E INSANAS DE NO TENER DINERO

¿Es el momento de renunciar al abuso financiero de ti?

El abuso financiero puede tomar una forma diferente pero a menudo resulta en que te sientes como si no merecieras las cosas más básicas en la vida. ¿Qué tal que ya no tuvieras que vivir así?

PREGUNTAS

- ¿Qué historias me estoy contando a mí mismo respecto al dinero? ¿Qué tal que no fueran ciertas?
- ¿Estoy permitiendo que el abuso financiero del pasado esté al mando de mi futuro?
- ¿Qué puedo elegir diferente aquí?

¿Estás usando la duda, el miedo o la culpa para distraerte de crear dinero?

Cada vez que dudas, tienes miedo, culpa o vergüenza con respecto al dinero, o te obsesionas, o te enojas respecto a tu situación financiera, te estás distrayendo de estar presente con diferentes elecciones, diferentes posibilidades.

HERRAMIENTA: ELIMINA ESTA PALABRA DE TU VOCABULARIO

- Elimina la palabra "porque" de tu vocabulario. Cada "porque" es tu forma astuta de comprarte tus distracciones con una gran historia para poder renunciar a ti. Cuando te sorprendes a ti mismo diciéndolo, pregunta "Oh, esa es una gran historia. ¿Qué más es posible si no uso esta historia para detenerme?"

PREGUNTAS

- ¿Qué distracciones estoy usando para impedirme crear dinero?
- ¿Qué más es posible que aún no he considerado?

SIENDO BRUTALMENTE HONESTO CONTIGO

¿Estás dispuesto a no tener barreras?

Nos enseñaron a creer que los juicios, barreras y paredes que subimos nos van a proteger, pero en realidad, nos esconden de nosotros mismos.

Crear tu propia realidad financiera es acerca de tener una conciencia de lo que realmente es y después elegir qué va a crear más para ti. Tienes que estar dispuesto a no tener juicios, no tener barreras y total vulnerabilidad. Desde ahí, empiezas a ver lo que es posible para ti que has estado rehusando reconocer.

HERRAMIENTA: CAMBIA LO INCORRECTO
DE TI A TU FORTALEZA/POTENCIA

- ¿Qué tal que lo que juzgas de incorrecto en ti, es en realidad tu fortaleza/potencia? En donde sea que pienses que estás equivocado es en donde estás rehusando ser fuerte. Mira lo que has decidido que es incorrecto de ti. Escríbelo. Voltea a ver y pregunta "¿Qué fortaleza/potencia es eso que no estoy reconociendo?"
- Tú siendo tú eres una de las cosas más atractivas en el mundo. Cuando te juzgas, no estás siendo tú.

PREGUNTAS

- ¿Si estuviera siendo yo, qué elegiría?
- ¿Si estuviera siendo yo, qué crearía?

¿QUIÉN ESTOY SIENDO EN ESTE MOMENTO? ¿YO, O ALGUIEN MÁS?

¿Qué es lo que realmente te gustaría tener?

Parte de ser vulnerable es también ser brutalmente honesta acerca de lo que quisieras tener en tu vida. Si lo mantienes escondido y en secreto de ti mismo o pretendes que no deseas lo que realmente quieres, no tienes oportunidad de crear y elegir algo más grandioso y tener una vida que realmente disfrutes.

HERRAMIENTA: ESCRIBE LO QUE REALMENTE DESEAS EN LA VIDA

› ¿Estás dispuesto a ser tan honesto contigo mismo como para admitir qué te gustaría tener en tu vida, incluso si no le hace ningún sentido a nadie más? Escribe una lista de todo lo que quisieras tener en tu vida (usa las preguntas de abajo para ayudarte). Si nada fuera imposible ¿qué elegirías? Ve tu lista y pregunta ¿Qué tomaría para generar y crear esto con facilidad?"

PREGUNTAS

- ¿Qué me gustaría crear en mi vida?
- Si pudiera ser y hacer y crear todo ¿Qué me gustaría elegir?
- ¿Qué he decidido que es imposible que realmente me gustaría tener?
- ¿Cuál es la cosa más ridícula e inconcebible que pudiera pedir?
- ¿Qué es lo que me gustaría solicitar del universo y demandar de mi mismo?

CONFIANDO QUE SABES

Siempre supiste, incluso cuando no funcionó.

¿Alguna vez supiste que algo no iba a funcionar como tú querías, pero de todas formas lo hiciste?

HERRAMIENTA: RECONOCE TU SABER

> Escribe todas las veces que hiciste algo que sabías que no tenías que hacer y que sucedió exactamente cómo sabías que sería. Escribe todas las veces en que algo funcionó y lo supiste todo el tiempo, sin importar lo que nadie más dijo. Reconoce que, sin importar cómo pasó, siempre supiste.

PREGUNTAS

> ¿Qué es lo que yo sé respecto al dinero que nunca me he dado el permiso de reconocer o lo criticaron como incorrecto?

Si el dinero nunca fuera un problema ¿Qué elegirías?

Tienes que hacerte preguntas cada día si quieres cambiar las cosas y si quieres crear un futuro financiero que funcione para ti. Cada día es nuevo, siempre hay más posibilidades disponibles. Lo único que tienes que hacer es pedir.

PREGUNTAS

- Si el dinero no fuera un problema ¿Qué elegiría?
- ¿Qué es lo que quisiera crear en el mundo?
- ¿Cuáles de ellos podría instituir en este momento?
- ¿Con quién tendría que hablar?
- ¿Qué tendría que hacer?
- ¿A dónde tendría que ir?
- ¿Qué elecciones podría tomar hoy para empezar a crear mi propia realidad financiera?

PARTE DOS: ¡DINERO VEN, DINERO VEN, DINERO VEN!

CAPÍTULO 4: Diez cosas que harán que el dinero venga (y venga y venga)

1. Haz preguntas que inviten al dinero
2. Investiga exactamente cuánto dinero requieres para vivir gozosamente
3. Ten dinero
4. Reconócete
5. Haz lo que amas
6. Ten conciencia de lo que piensas, dices y haces
7. Deja de esperar un resultado específico
8. Renuncia a creer en el éxito, el fracaso, las necesidades y lo que quieres
9. Ten permisión
10. Mantente dispuesto a estar fuera de control

CAPÍTULO 5: Haz preguntas que inviten al dinero

Las preguntas son invitaciones para recibir, lo que permite que el dinero venga. Si no preguntas, no puedes recibir.

Si empiezas una pregunta con un "por qué" o "cómo", la mayoría de las veces no estás haciendo una pregunta realmente. Si estás buscando una respuesta en particular (o puedes predecir una respuesta a la pregunta) ¿adivina qué? ¡No estás realmente haciendo una pregunta!

Aquí hay ejemplos de preguntas que invitarán al dinero.

PREGUNTAS

- ¿Qué puede pasar que funcionaría mejor de lo que pudiera imaginar?
- ¿Qué elegí para crear con esto, y qué otras elecciones tengo?
- ¿Qué está bien de mí que no estoy viendo?
- ¿Qué puedo hacer o ser diferente cada día para volverme más consciente de las elecciones, posibilidades y contribuciones que tengo disponibles cada momento?

¡Empieza a pedir que el dinero venga, ahora!

El objetivo es tener más facilidad al pedir dinero. ¿Qué tal si pedir dinero fuera divertido para ti? ¿Cuánto te podrías divertir pidiendo que el dinero venga de todas las formas posibles?

HERRAMIENTA: PRACTICA EL PEDIR EL DINERO

- Párate frente al espejo y pide "¿Puedo tener el dinero ahora?" Dilo una y otra vez.
- Cuando tengas un cliente que te tiene que pagar o alguien te debe dinero o una factura, pregúntale "¿Cuál será tu forma de pago?"

Usa preguntas diariamente para invitar al dinero

Sigue haciendo preguntas. No importa qué suceda: pide más, pide de forma más grandiosa. ¿Qué tal si hacer preguntas se volviera tan natural para ti que te convertirías en una invitación imparable, caminante, hablante para las posibilidades con el dinero?

PREGUNTAS

- ¿Qué más es posible?
- ¿Cómo puede mejorar esto? (Pregunta cuando sucedan cosas buenas o malas)
- ¿Cómo me gustaría que fuera mi realidad financiera?
- ¿Qué tendría que ser o hacer diferente para crear eso?
- ¿Qué puedo hacer diferente hoy para generar más dinero inmediatamente?
- ¿En qué puedo poner mi atención hoy que incremente mis flujos de dinero?
- ¿Qué puedo agregar a mi vida hoy para crear más flujos de dinero inmediatamente?
- ¿Quién o qué puede contribuir a tener más dinero en mi vida?
- ¿En dónde puedo usar mi dinero para que haga más dinero para mí?
- Si el dinero no fuera el problema ¿Qué elegiría?
- ¿Quién más? ¿Qué más? ¿En dónde más?
- ¿Puedo tener el dinero ahora?

Capítulo 6: Saber exactamente cuánto dinero requieres para vivir- ¡gozosamente!

Necesitas saber exactamente el costo de vivir tu vida con gozo, o no podrás aplicar efectivamente todas estas herramientas porque no tendrás la claridad para seguir adelante.

HERRAMIENTA: ANOTA EL COSTO DE VIVIR GOZOSAMENTE

- Anota tus gastos. Si tienes un estado de resultados de algún reporte de tu contador usa eso para darte cuenta cuánto te cuesta manejar tu negocio o tu vida mes a mes.
- Suma todas tus deudas actuales. Si tienes alrededor de $20,000 dólares o menos en deuda, divídelo en 12 y agrégalo. Si es más de $20,000 dólares divídelo en 24 meses o más si quieres. Sólo incluye ese monto en la lista.
- Escribe lo que te cuesta hacer las cosas que te divierten.
- Suma todo.
- Agrega el 10% de tu cuenta de 10 por ciento.
- Y después agrega un 20% más sólo por diversión. ¡Porque la vida se trata de divertirse!
- Ve cuál es el monto que queda. Esta es realmente la cantidad que requieres para administrar tu vida cada mes.
- Haz preguntas. Demanda esa cantidad de dinero a que se presente y más.
- Haz este ejercicio cada seis o 12 meses, porque al cambiar tu vida, tus gastos y tus deseos y tus requerimientos financieros también cambiarán.

PREGUNTAS

- ¿Qué tomaría para crear esta cantidad de dinero y más, con total facilidad?
- ¿Qué más puedo agregar a mi vida?
- ¿Qué más puedo crear?

HERRAMIENTA #1 PARA TENER DINERO: LA CUENTA DE 10%

Guarda 10% de todo lo que ganes.

Lo estás guardando como una forma de honrarte a ti. Recuerda, esto no es lógico ni lineal. Energéticamente, el universo empieza a contribuirte a ti también y empiezas a tener dinero de los lugares menos pensados.

HERRAMIENTA #2 PARA TENER DINERO: LLEVA EFECTIVO CONTIGO

Lleva contigo la cantidad de efectivo que tú piensas que una persona rica lleva consigo.

¿Qué crea para ti el ver una gran cantidad de dinero en tu billetera cada vez que la abres? ¿Te contribuye a tener una sensación de riqueza? ¿Es divertido? Pruébalo y ve.

Si tienes el punto de vista de tener dinero contigo porque piensas que lo vas a perder o te lo van a robar, pregunta "¿Cuánto dinero necesitaría tener conmigo para que esté dispuesta a estar consciente de él todo el tiempo?"

HERRAMIENTA #3 PARA TENER DINERO: COMPRA COSAS QUE TENGAN VALOR INTRÍNSECO

Las cosas con valor intrínseco retienen o incrementan su valor una vez comprados.

Las cosas como el oro, la plata, el platino, antigüedades, objetos poco comunes, tienen un valor intrínseco.

Considera comprar activos líquidos (cosas de valor que pueden ser rápidamente vendidos en efectivo) que también tengan una belleza estética para agregarlo a tu vida, que va a contribuir a crear una sensación de paz y riqueza y lujo en tu vida así como tener valor monetario.

Hay tres formas de empezar a reconocerte de manera más efectiva:

* Reconoce el valor de *ti*
* Reconoce lo que es *fácil* para ti de hacer y ser
* Reconoce lo que estás *creando*

No esperes a que los demás vean tu valor

¿Estás esperando a que otros te reconozcan para que finalmente puedas saber que lo que tienes que ofrece es valioso?

¿Qué tal si fueras tú quien reconociera que eres valioso, que no importa lo que los demás piensan?

HERRAMIENTA: ESCRIBE LA GRATITUD QUE TIENES POR TI

Toma una libreta y escribe las cosas por las cuales estás agradecido por ti, agrega tres cosas diferentes por día. Haz la demanda de percibir, saber ser y recibir la grandeza de ti con mayor facilidad. Comprométete contigo y respáldate en este proceso.

PREGUNTAS

* ¿Qué es fácil para ti que nunca has reconocido?
* ¿Qué he estado rehusando reconocer acerca de mí que si lo reconociera crearía mi vida llena de más facilidad y gozo?

¿Qué es fácil para ti que aún no has reconocido?

¿Qué encuentras fácil de hacer? ¿Qué es fácil para ti que piensas que no tiene valor?

▹ Empieza a escribir las cosas que te son fáciles y realmente ten consciencia de ello. Percibe la energía de cómo hacer esas cosas que son fáciles. ¡Reconoce lo brillante que eres!

▹ Pide que esa energía se presente en todos los lugares en que has decidido que no es tan sencillo. Si reconoces esa energía y le pides que crezca en tu vida, puede hacerlo y lo hará.

PREGUNTAS

° ¿Qué más puedo reconocer de mí que no he pensado que tenga valor?

¿Reconoces tus creaciones o las descartas?

¿Qué tanto realmente estás creando en tu vida que estás descartando? ¿Qué tal si pudieras estar totalmente presente con todo lo que ocurre y todo lo que es creado en tu vida y recibirlo todo con gratitud? Nota la energía y la sensación de posibilidad que pudiera ser creada en tu vida con el reconocimiento de "He creado algo realmente maravilloso hoy."

PREGUNTAS

° ¿Qué tomaría recibir este dinero en mi vida y tener total gratitud por él y por mí?

° ¿En donde más puedo reconocer mi habilidad para crear?

° ¿Qué tal si realmente disfrutara de mi creación?

° ¿Cuánto me puedo divertir y qué más puedo crear ahora?

Cuando incluyes más de lo que amas hacer, seguirás invitando al dinero a que venga a jugar.

¿Qué amas hacer?

Tienes que empezar a ver las cosas que te gusta hacer.

HERRAMIENTA: HAZ UNA LISTA DE TODAS LAS COSAS QUE TE GUSTA HACER

- Saca una libreta y empieza a escribir las cosas que te gusta hacer.
- Sigue agregando más cosas durante los siguientes días y semanas.
- Después voltea a ver ¿estás haciendo suficientes cosas que te gustan?
- Haz algunas preguntas.

PREGUNTAS

- ¿Cuál de estas podría crear un flujo de dinero de forma inmediata? (Nota si hay una o algunas que te salten a la vista ¿Qué tal si inicias con esas?
- ¿Qué tendría que hacer y con quién podría hablar y en dónde pudiera empezar a crear esto como realidad, de forma inmediata?
- ¿Cuánto me puedo divertir creando esto?

¿QUÉ MÁS PUEDES AGREGAR?

No tienes porqué estar en un solo camino. Puedes tener múltiples caminos y rutas simultáneas. ¿Qué tal si pudieras crear tantas como quisieras? No hay límite en la cantidad de flujos de dinero que pudieras pedir. ¿Cómo sabes cuáles de ellos son relevantes? Si es divertido para ti, es relevante. Agregar a tu vida creará más de lo que deseas, eliminar de tu vida, no.

Si empiezas a agregar más a tu vida, especialmente si estás creando con las cosas que te gustan, tanto el aburrimiento como el abrumamiento empezarán a disolverse.

HERRAMIENTA: TEN UNA VISTA DE PÁJARO DE LAS COSAS

- Practica ahora tener una vista de pájaro con un proyecto o con una parte de tu vida con la que tiendes a abrumarte. Voltea a ver y pregunta:
- "¿Alguien me podría contribuir con esto?"
- "¿Podría alguien agregar algo a esto?"
- ¿Alguien más podría hacer esto mejor que yo?"
- "¿Qué puedo agregar a mi vida para tener la claridad con facilidad con todo esto y más?"

PREGUNTAS

- Si estás buscando tener más clientes en tu negocio o estás aburrido con tu trabajo, pregunta: ¿Qué más puedo agregar aquí?

- Si estás abrumado, pregunta: ¿Qué puedo agregar? ¿Qué más puedo crear?

¿Creas de forma diferente a otras personas?

Las personas proyectan que tendrías que terminar una cosa antes de empezar la otra.

¿Es verdad para ti eso? Si no juzgarás la forma en que creas como algo equivocado ¿cuánto te podrías divertir al crear todavía más en tu vida?

¿Qué funciona para mí?

¿Es más divertido tener muchas cosas pasando al mismo tiempo?

Si pudiera crear mi dinero y mi vida en la forma en que deseo ¿Qué elegiría?

Capítulo 10: Ten consciencia de lo que dices, piensas y haces

Empieza a escuchar todo lo que sale de tu boca o entra a tu cabeza en términos de dinero, especialmente aquellas cosas que tiendes a creer automáticamente como verdaderas o normales y que no cuestionas ¿qué tal si para nada fueran ciertas?

Desear vs Crear

¿Qué tan a menudo pones cosas en una lista de deseos, esperando que vengan a ti, pero sin tomar acción para empezar a crearlas?

El *compromiso* es la disposición de darle el tiempo y la energía a algo que estás demandando que venga a ti.

HERRAMIENTA: ANOTA UNA LISTA DE CREACIÓN, NO DE DESEOS

Escribe una lista de las cosas que tienes voluntad de tener en tu vida y en tu realidad financiera en lugar de una lista de deseos. Haz preguntas. Y elige.

- ¿Qué estoy deseando en lugar de comprometerme a crearlo?
- SI estuvieras siendo brutalmente honesto ¿Cuánto estoy comprometido con mi vida? ¿10% o menos? ¿15% o menos? ¿20%?
- ¿Estoy dispuesto a comprometerme al 100% con mi vida?
- ¿Estoy comprometida a la creación de esas cosas que deseo?
- ¿Qué tomaría para crear esto?
- ¿Qué tengo que empezar a hacer funcionar para que eso ocurra?

Eligiendo en incrementos de 10 segundos

Imagina si todas tus elecciones expiran después de 10 segundos. Si quisieras mantener algo de cierta forma, todo lo que tienes que hacer es elegir de nuevo: tienes que seguirlo eligiendo, conscientemente, cada 10 segundos ¡así que mejora asegúrate que sea algo que deseas tener! ¿Qué tal si la elección pudiera ser así de sencilla? Si eliges algo y no funciona, no tienes que desperdiciar tu tiempo juzgándote y regañándote por lo último que elegiste. Sólo tienes que elegir de nuevo.

Capítulo 11: Deja de esperar un resultado específico

Cuando se trata de elegir cosas en la vida ¿qué tanto estás esperando un resultado específico antes de que siquiera empieces? ¿Qué tal si lo que has decidido que tiene que presentarse, es una limitación? Deja de estar esperando un resultado determinado, y pide por la consciencia que expandirá tu vida y tu estilo de vida. Permítete percibir la energía de lo que cada elección crearía. Sigue esa sensación energética de qué es más expansivo, incluso si no hace ningún sentido lógico o cognitivo para ti.

» Cuando estés contemplando qué elegir, haz estas dos preguntas:
  - Si elijo esto ¿Cómo será mi vida en cinco años?
  - Si no elijo esto ¿Cómo será mi vida en cinco años?

Date el gusto

Darte el gusto a veces quiere decir "rendirte a o entregarte al placer de eso".

Cuando sea que estés considerando una elección respecto a algo y no estés seguro que quieras elegir eso ¿Qué tal si te dieras el tiempo de darte el gusto?

HERRAMIENTA: DATE EL GUSTO EN DIFERENTES ELECCIONES

» Ve algo que no estés seguro de querer elegir. Durante los siguientes 3 días date el gusto de elegirlo. Cuando te das el gusto de algo, tienes mucha más consciencia de la energía que se creará o generará al elegirlo. Durante los siguientes tres días, date el gusto de no elegirlo. ¿Cuál es más ligero para ti?

PREGUNTAS

Si no tuvieras reglas ni regulaciones, ni puntos de referencia ¿Qué crearía?

Capítulo 12: Renuncia a creer en el éxito, el fracaso, las necesidades y lo que quieres

Ya eres exitoso, y si quieres cambiar las cosas en tu vida, puedes simplemente cambiarlas. ¿En dónde eres ya un éxito que aún no has reconocido?

Fracasando y cayendo

No hay tal cosa como fracasar. Es solo tu punto de vista. Una elección que no funcionó como planeabas no es un fracaso o una equivocación. Es solo diferente a lo que tu habías pensado.

HERRAMIENTA: ELIGE POR LA CONSCIENCIA Y NO TRATES DE HACER LO CORRECTO

> Practica elegir tener consciencia en tu mundo. No te enfoques en elegir en base a lo correcto o incorrecto. ¿Qué te gustaría elegir?

PREGUNTAS

- ¿Qué has decidido que tienes que hacer de forma correcta?
- ¿Qué has decidido que tiene que ser correcto en tu negocio/relación/mundo financiero?
- ¿Has decidido que tienes que tomar la decisión correcta?
- ¿Has decidido que tienes que evitar tomar decisiones incorrectas o evitar fallar o fracasar?
- ¿Qué tal si supieras que la elección crea conciencia?
- ¿En qué te podría contribuir esta elección de lo cual aún no estás consciente?

¿Qué tal si fuera tiempo de ser tan diferente como en verdad eres?

¿Qué tal si *tú* no fueras un fracaso o estuvieras equivocado, sino sólo diferente?

HERRAMIENTA: RECIBE LA CONTRIBUCIÓN DE TUS "FRACASOS"

> Escribe lo que piensas que han sido fracasos en tu vida. Una vez que los hayas escrito, voltea a ver por cada uno de ellos y pregunta "Si no juzgara esto como un fracaso ¿Qué contribución puedo recibir de esto?" y "¿Qué conciencia creó esto en mi vida que no lo podría haber recibido de otra forma?" Escribe lo que venga a tu mente. Sal del juicio de tu elección y ten conciencia de la contribución, el cambio y la consciencia que se ha creado para ti.

> Escribe lo que piensas que son tus "errores personales." Ve las cosas por las cuales te juzgas a ti mismo de estar mal. Pregunta "Si quito el juicio de estar equivocado respecto a esto ¿Qué fortaleza podría ser esto?"

No necesito ni quiero dinero - ¡y tu tampoco!

¿Sabías que la definición original de querer" en el diccionario antes de 1946 tiene 27 definiciones que quieren decir "carecer" y sólo uno que quiere decir "desear"? ¡Cada que dices "quiero" en realidad estás diciendo "carezco"!

HERRAMIENTAS: "NO QUIERO DINERO"

> Practica decir cada día "No quiero dinero" en voz alta, por lo menos 10 veces seguidas. ¿Nota como las cosas se aligeran? Esa ligereza que sientes es el reconocimiento de lo que es verdad para ti. Porque en verdad, no careces de nada.

Necesidad y elección

Nos encanta creer que necesitamos cosas. ¿Pero qué tal que todas las cosas fueran una elección?

- ¿Qué he decidido que es una necesidad?
- ¿Es realmente una necesidad? ¿O es una elección?
- ¿Qué necesidades puedo reconocer que son una elección?
- ¿Qué tal que es una elección que puedo tomar gozosamente hoy?
- ¿Qué me gustaría crear?

Capítulo 13: Tener y ser permisión

Permisión es cuando eres la piedra en el río. Todos los puntos de vista de este mundo respecto al dinero te bañan, pero no te llevan con ellos. La permisión no es aceptar. No es tratar de creer que todo está bien. Puedes pintar tu raya en la arena. Puedes elegir lo que funciona para ti.

Cuando las personas te juzgan, no se trata de ti, es acerca de los juicios que tienen de sí mismos y de lo que no están dispuestos a crear.

HERRAMIENTA: ¿CUÁL ES TU JUICIO DE TI?

- Si caes en cuenta que estás juzgando a alguien más o a algo, pregúntate qué juicio tienes de ti respecto a esa persona o cosa. Ve si algo se aligera. El juicio no es real y la permisión crea posibilidades.

PREGUNTAS

* ¿Qué tomaría para recibir los juicios (buenos y malos) que otras personas tienen de mí?
* ¿Qué tal si estaría dispuesto a recibir todo con total facilidad?

¿Estás dispuesto a estar en permisión de ti?

La mayoría de los juicios que tenemos de nosotros mismos, el 99% de ellos los hemos percibido de las personas de nuestro alrededor. No son reales ni verdaderos.

HERRAMIENTA: NO JUZGUES TUS JUICIOS ¡DISFRÚTALOS Y DESPUÉS VUELVE A ELEGIR!

* Cuando te estés juzgando a ti, reconoce: "En este momento estoy eligiendo juzgarme. Voy a disfrutar de ello por un minuto, y después voy a elegir dejar de juzgarme."
* Puedes elegir juzgarte, y puedes elegir dejar de juzgarte.
* Cuando estás listo para dejar de juzgarte, haz preguntas.

PREGUNTAS

* ¿Qué está bien de mí que no estoy viendo?
* ¿Qué tal si nada de lo que he sido o hecho estuviera mal?
* ¿Y qué tal que no hay nada que esté mal en mí?
* ¿Qué regalo en mi vida pudiera ser tener total permisión por mí?
* ¿Qué gentileza puedo ser para mí al no juzgarme el día de hoy?

No trates de cambiar a las personas

La única persona a la que puedes cambiar es a ti, a nadie más. Si intentas hacer que las personas elijan lo que tú quieres que elijan, terminan resistiéndote y odiándote por ello. Deja que las otras personas elijan lo que van a elegir y sigue eligiendo lo que tú vas a elegir.

- ¿Estoy juzgando las elecciones de mi pareja, de mi familia o de mis amigos?
- ¿Qué permisión puedo tener por ellos y por su elección?
- ¿Qué me gustaría elegir para mí ahora que aún no he elegido?

Capítulo 14: Estar dispuesto a estar fuera de control

¿Cuán pequeño has hecho al dinero en tu vida para poder controlarlo?

¿Qué tal si pudieras crear tu vida, tu negocio y diferentes flujos de dinero al expandir tu consciencia y dejar ir lo que hayas estado tratando de controlar?

¿Qué tal si pudieras crear de forma brillante con el caos?

¿Recuerdan cómo crear el dinero no es algo lineal? ¡Tú tampoco eres lineal! ¿Qué tal si pudieras crear como tu desees o requieras crear, inclusive si parece ser totalmente caótico para los otros? ¿Qué tal si renunciaras a tratar de tener control de tu vida y empezaras a crearla? Recuerda, no estás solo en este universo, el universo te contribuirá a crear todo lo que deseas, así que pide más.

HERRAMIENTA: DEJA EL CONTROL Y SUÉLTALO

- Durante la siguiente semana, trata de soltar las riendas a las que te has estado aferrando tan fuertemente. Suelta las cosas que has estado tratando de controlar y ve si algo nuevo se puede presentar. Haz muchas preguntas.

* ¿Qué preguntas necesito hacer para crear todo esto con facilidad?
* ¿Quién o qué puedo agregar a mi trabajo y a mi vida?
* ¿Qué tomaría para que esto sea fácil?
* ¿Qué requiere mi atención hoy?
* ¿En qué necesito trabajar hoy para crear esto?

Capítulo 15: Una nota respecto al flujo de dinero

¿Qué tal si el crear flujos de dinero realmente solo fuera jugar con las posibilidades?

▸ Ve el flujo de dinero que actualmente tienes o no tienes. Tómate el tiempo de darle tu atención y haz más preguntas cada día. Empieza a educarte en cuestiones de dinero.

* ¿Qué tomaría para tener flujos continuos de dinero en mi vida?
* ¿Cuántos flujos de dinero y creación puedo tener?
* ¿Con qué quiero jugar?
* ¿Qué me trae gozo?
* ¿De qué tengo curiosidad?
* ¿Qué más existe ahí afuera en el mundo con respecto al dinero que sería para mi descubrir?

DOS HERRAMIENTAS MÁS DE ACCESS CONSCIOUSNESS QUE PUEDES AGREGAR PARA EXPONENCIALIZAR TODO

La diferencia que Access Consciousness ha creado en mi vida es exponencial.

Access Consciousness es un conjunto de herramientas masivo para crear cambios en tu vida para, en última instancia, cambiar la forma en que funcionas y que nada sea limitado y exista más y más espacio para elegir cualquier cosa que deseas.

No son sólo las preguntas, los conceptos y "hacer" las herramientas de Access Consciousness que ofrece lo que realmente te permiten cambiar las cosas, sino el eliminar la energía subyacente de todos los puntos de vista y conclusiones y juicios que mantienen las cosas atoradas y sin manera de cambiarlas. Si pudiéramos resolver todo con nuestra mente lógica, tendríamos todo lo que siempre hemos deseado, son nuestros insanos puntos de vista que nos atoran. El enunciado aclarador funciona para cambiar todo eso y más.

Hay dos herramientas para cambiar lo que subyace energéticamente que les recomiendo ampliamente que usen, en conjunto con el resto de las herramientas de este libro: El Enunciado Aclarador y las Barras de Access.

El Enunciado Aclarador es un proceso verbal que puedes agregar a tus preguntas que eliminan la energía de donde te sientes actualmente limitado o atorado. Las Barras de Access es un proceso manual, corporal que te permite disipar los componentes atorados de los pensamientos, sentimientos y emociones que están bloqueados en tu cuerpo y tus puntos de vista (tu vida).

Leí tantos libros hace años en donde estaba buscando cambiar un área de mi vida y cuando leía las historias de las personas era más molesto que otra cosa, yo decía algo como "Bueno eso es grandioso ¿Y cómo haces eso? ¿Cómo lo cambias?" Este libro es diferente. Tienes mis historias, tienes preguntas y herramientas y también tienes procesos verbales que hacer con el Enunciado Aclarador. Esto cambió todo para mi. Mi deseo es que tú sepas que estas herramientas existen y que puedes cambiar cualquier área de tu vida que *pienses* que no está funcionando para ti. La elección es totalmente tuya.

EL ENUNCIADO ACLARADOR DE ACCESS CONSCIOUSNESS

El Enunciado Aclarador es una de las herramientas fundacionales de Access Consciousness que yo describiría como la "magia" que ocurre. Es básicamente acerca de la energía. Cuando haces una pregunta y después dices el Enunciado Aclarador, estás cambiando, destruyendo y descreando todos los lugares en donde has creado un punto de vista que te detiene de tener, ser o elegir algo diferente.

El Enunciado Aclarador está básicamente diseñado para cambiar todos los lugares en donde tienes pensamientos, sentimientos, emociones, limitaciones, juicios y conclusiones que no tendrían que existir, y que crean más la sensación de juego y gozo y que algo diferente se presente, para crear más consciencia y que así tengas más posibilidades disponibles para ti.

COMO USAR EL ENUNCIADO ACLARADOR

Para usar el Enunciado Aclarador primero haces una pregunta. Cuando haces una pregunta, eso hace que surja una energía. Incluso podría traer pensamientos particulares, sentimientos o emociones o quizá no. Entonces pides que se elimine esa energía al decir el Enunciado Aclarador. Por ejemplo:

"¿Qué juicios tengo acerca de crear dinero? Todo lo que eso es (esto es toda la energía que eso traiga) ahora lo destruyo y lo descreo todo. Acertado y equivocado, bueno y malo, POD y POC, todos los 9, cortos, chicos y más allás."

En una clase, el facilitador hace preguntas y después te pregunta "Todo lo que eso traiga ¿estarías dispuesto a destruirlo y descrearlo todo? Y dice el Enunciado Aclarador. La razón por la que lo hacemos de esta forma es porque depende de ti cuánto estás dispuesto a soltar y a cambiar. El Enunciado Aclarador no eliminará nada que está funcionando para ti, o en donde no deseas cambiar. Solo eliminará lo que estés dispuesto a soltar y lo que deseas dejar ir.

Al final de este capítulo he incluido una lista de procesos (preguntas con el Enunciado Aclarador) que puedes usar. La idea es que los digas una y otra vez para eliminar más y más energía y que tengas más facilidad, espacio y elección en esa área.

LAS BARRAS DE ACCESS

Las Barras de Access son 32 puntos en la cabeza que cuando se tocan gentilmente empiezan a disipar los pensamientos, sentimientos y emociones que tienes en temas como la sanación, la tristeza, el gozo, la sexualidad, el cuerpo, el envejecimiento, el control, el dinero, por mencionar algunos. Estoy seguro que no tienes ningún punto de vista sobre estos temas ¿o sí?

Sugiero ampliamente que tomes una sesión de Barras. Le permite a tu cuerpo que sea incluido en el cambio que estás creando. Y entre más incluyas a tu cuerpo en este proceso de cambiar tu vida, estará más lleno de gozo y facilidad.

La primera vez que tuve una sesión de Barras, crearon un espacio para mí en donde no parecía que tenía un punto de vista fuerte. Había más disponibilidad de elegir algo diferente. Entre más te den Barras, el espacio se vuelve más grandioso.

Otra forma en que puedes usar las Barras para asistirte en cambiar las cosas es, mientras te están haciendo la Barra de dinero, puedes hablar acerca de lo que surge para ti con el dinero. Y lo que empieza a pasar es que empiezas a presionar el botón de borrar en lo que has decidido que el dinero es; todos los puntos de vista que te compraste del dinero, todos los puntos de vista de tu familia, amigos, la cultura, en donde naciste y más, y empiezas a crear tu propia realidad financiera.

Encuentra a un practicante, o incluso asiste a una clase. Aprender las Barras de Access es una clase de un día y te pasas el día dando sesiones de Barras, recibiendo dos sesiones y dando dos sesiones. Saldrás completamente diferente.

Para más información ve a www.bars.accessconsciousness.com

PROCESOS DE DINERO DE ACCESS CONSCIOUSNESS

La siguiente lista de procesos de dinero son los que puedes decir para eliminar la energía que te detiene de tener posibilidades más grandiosas. Entre más uses estos procesos, más cambio recibirás. También están disponibles en audio (puedes descargarlos gratis desde el sitio de internet www.gettingoutofdebtjoyfully.com/bookGIFT) el cuál puedes escuchar de forma continua en tu reproductor de mp3 o teléfono. Puedes incluso escucharlo de modo casi inaudible mientras duermes. Funcionarán de forma más dinámica sin tu mente cognitiva entrometiéndose en el camino. ¡Diviértete!

Recuerda: ¡Sal de la deuda Gozosamente!

¿Qué significa el dinero para ti? ¿Todo lo que eso es lo destruyes y lo descreas? Acertado y equivocado, bueno y malo, POD y POC, todos los 9, cortos, chicos y más allás.

¿Qué has decidido y concluido que es correcto respecto al dinero? ¿Todo lo que eso es lo destruyes y lo descreas? Acertado y equivocado, bueno y malo, POD y POC, todos los 9, cortos, chicos y más allás.

¿Qué has decidido y concluido que es incorrecto respecto al dinero? ¿Todo lo que eso es lo destruyes y lo descreas? Acertado y equivocado, bueno y malo, POD y POC, todos los 9, cortos, chicos y más allás.

Ten presente la cantidad de dinero que actualmente estás ganando y multiplícalo por 2, percibe la energía de eso. Todo lo que no permita que eso se presente ¿lo destruyes y descreas? Acertado y equivocado, bueno y malo, POD y POC, todos los 9, cortos, chicos y más allás.

Ahora ten presente la cantidad de dinero que estás ganando y multiplícalo por 5 y percibe la energía de eso. Todo lo que no permita que eso se presente ¿lo destruyes y descreas? Acertado y equivocado, bueno y malo, POD y POC, todos los 9, cortos, chicos y más allás.

Ahora multiplícalo por diez. Todo lo que eso es ¿lo destruyes y lo descreas? Acertado y equivocado, bueno y malo, POD y POC, todos los 9, cortos, chicos y más allás.

Ahora multiplícalo por 50. Ahora gana 50 veces más de la cantidad de dinero que estás ganando. Todos los juicios, proyecciones, separaciones, todo lo que has decidido y concluído que podría ocurrir ¿lo destruyes y lo descreas? Acertado y equivocado, bueno y malo, POD y POC, todos los 9, cortos, chicos y más allás.

Ahora es 100 veces. ¿Todo lo que eso es lo destruyes y lo descreas? Acertado y equivocado, bueno y malo, POD y POC, todos los 9, cortos, chicos y más allás.

¿Qué energía tengo que ser o hacer hoy para generar más dinero inmediatamente? ¿Todo lo que eso es lo destruyes y lo descreas por un dioszillón (¡ese es un número tan grande que sólo Dios lo sabe!)? Acertado y equivocado, bueno y malo, POD y POC, todos los 9, cortos, chicos y más allás.

¿En dónde te estás limitando a ti mismo y lo que puedes crear porque lo has reducido a un tema de dinero y no por la diversión de ello? Todo lo que eso es, por un dioszillón ¿lo destruyes y lo descreas? Acertado y equivocado, bueno y malo, POD y POC, todos los 9, cortos, chicos y más allás.

¿Qué energía, espacio y consciencia generativa podemos ser mi cuerpo y yo que permitiría que cada día fuera la celebración de vivir? Todo lo que eso es, por un dioszillón ¿lo destruyes y lo descreas? Acertado y equivocado, bueno y malo, POD y POC, todos los 9, cortos, chicos y más allás.

¿Qué estás comprobando con el dinero? ¿Qué estás comprobando con el no dinero? Todo lo que eso es, por un dioszillón ¿lo destruyes y lo descreas? Acertado y equivocado, bueno y malo, POD y POC, todos los 9, cortos, chicos y más allás.

¿Qué creación de dinero estás usando para validar las realidades de otras personas que invalida la tuya, estás eligiendo? Todo lo que eso es, por un dioszillón ¿lo destruyes y lo descreas? Acertado y equivocado, bueno y malo, POD y POC, todos los 9, cortos, chicos y más allás.

¿Qué has decidido acerca del dinero que si no lo decidieras crearía una realidad y un flujo de dinero totalmente diferentes? Todo lo que eso es, por un dioszillón ¿lo destruyes y lo descreas? Acertado y equivocado, bueno y malo, POD y POC, todos los 9, cortos, chicos y más allás.

¿Qué amas acerca de odiar el dinero? ¿Qué odias de amar el dinero? Todo lo que eso es, por un dioszillón ¿lo destruyes y lo descreas?

Acertado y equivocado, bueno y malo, POD y POC, todos los 9, cortos, chicos y más allás.

¿Qué tienes en contra de ser rico y abundante? Todo lo que eso es, por un dioszillón ¿lo destruyes y lo descreas? Acertado y equivocado, bueno y malo, POD y POC, todos los 9, cortos, chicos y más allás.

¿Qué has decidido que es el dinero, que no es, que te impide generar mucho dinero?

Todo lo que eso es, por un dioszillón ¿lo destruyes y lo descreas? Acertado y equivocado, bueno y malo, POD y POC, todos los 9, cortos, chicos y más allás.

¿Qué secretos tienes con el dinero? ¿Cuáles son tus oscuros y profundos secretos? Todo lo que eso es, por un dioszillón ¿lo destruyes y lo descreas? Acertado y equivocado, bueno y malo, POD y POC, todos los 9, cortos, chicos y más allás.

¿Estás dispuesto a trabajar lo suficientemente duro para ser billonario? Todo lo que eso es, por un dioszillón ¿lo destruyes y lo descreas? Acertado y equivocado, bueno y malo, POD y POC, todos los 9, cortos, chicos y más allás.

¿Qué juicios tienes del dinero, la utilidad, los negocios y el éxito? Todo lo que eso es, por un dioszillón ¿lo destruyes y lo descreas? Acertado y equivocado, bueno y malo, POD y POC, todos los 9, cortos, chicos y más allás.

Todos los lugares en donde hayas decidido que montones de dinero es inconcebible ¿lo destruyes y lo descreas? Todo lo que eso es, por un dioszillón ¿lo destruyes y lo descreas? Acertado y equivocado, bueno y malo, POD y POC, todos los 9, cortos, chicos y más allás.

¿Qué energía, espacio y consciencia podrían ser tu cuerpo y tú que te permitiría tener demasiado dinero y nunca lo suficiente? Todo lo que eso es, por un dioszillón ¿lo destruyes y lo descreas? Acertado y equivocado, bueno y malo, POD y POC, todos los 9, cortos, chicos y más allás.

¿Cuántos de ustedes crean basados en el no dinero, hacen del dinero la fuente de la creación en lugar de que TÚ seas la fuente de la creación? Todo lo que eso es, por un dioszillón ¿lo destruyes y lo descreas? Acertado y equivocado, bueno y malo, POD y POC, todos los 9, cortos, chicos y más allás.

¿Qué es lo que sabes acerca de las inversiones que has estado rehusando reconocer, que si lo reconocieras, crearía más dinero de lo que nunca has pensado? Todo lo que eso es, por un dioszillón ¿lo destruyes y lo descreas? Acertado y equivocado, bueno y malo, POD y POC, todos los 9, cortos, chicos y más allás.

¿Cuántos diferentes flujos de dinero puedes crear? ¿Con qué otros flujos de dinero podrías jugar? ¿En dónde no has permitido que los flujos de dinero aleatorios se presenten que podrían crear más dinero de lo que nunca has pensado posible? Todo lo que eso es, por un dioszillón ¿lo destruyes y lo descreas? Acertado y equivocado, bueno y malo, POD y POC, todos los 9, cortos, chicos y más allás.

¿Qué es lo que tienes que no estás dispuesto a usar para incrementar el dinero, los flujos monetarios y los flujos de dinero? Todo lo que eso es, por un dioszillón ¿lo destruyes y lo descreas? Acertado y equivocado, bueno y malo, POD y POC, todos los 9, cortos, chicos y más allás.

¿En dónde estás renunciando para crear la carencia de dinero que estás eligiendo? Todo lo que eso es, por un dioszillón ¿lo destruyes y lo descreas? Acertado y equivocado, bueno y malo, POD y POC, todos los 9, cortos, chicos y más allás.

¿Qué has hecho tan vital, valioso y real de nunca, nunca, nunca, nunca, nunca tener dinero que mantenga la consistencia del no cambio, la no creación, la no diversión, y la no felicidad? Todo lo que eso es, por un dioszillón ¿lo destruyes y lo descreas? Acertado y equivocado, bueno y malo, POD y POC, todos los 9, cortos, chicos y más allás.

¿Qué entusiasmo estás rehusando, que podrías estar eligiendo, que si lo eligieras, crearía más dinero de lo que nunca has pensado posible? Todo lo que eso es, por un dioszillón ¿lo destruyes y lo descreas? Acertado y equivocado, bueno y malo, POD y POC, todos los 9, cortos, chicos y más allás.

¿Quién o qué estás rehusando perder que si lo perdieras, te permitiría tener demasiado dinero? Todo lo que eso es, por un dioszillón ¿lo destruyes y lo descreas? Acertado y equivocado, bueno y malo, POD y POC, todos los 9, cortos, chicos y más allás.

¿Qué has rehusado ser, que podrías ser, que si lo fueras, cambiaría tu completa realidad financiera? Todo lo que eso es, por un dioszillón ¿lo destruyes y lo descreas? Acertado y equivocado, bueno y malo, POD y POC, todos los 9, cortos, chicos y más allás.

¿Qué nivel de entusiasmo y gozo de la vida estás rehusando, que si no la rehusaras, cambiaría tu completa realidad financiera? Todo lo que eso es, por un dioszillón ¿lo destruyes y lo descreas? Acertado y equivocado, bueno y malo, POD y POC, todos los 9, cortos, chicos y más allás.

¿Qué has estado reacio a recibir que si lo recibieras, crearía los flujos de dinero y los flujos de moneda que tú sabes que mereces? Todo lo que no permita que eso se muestre ¿lo destruyes y lo descreas todo? Acertado y equivocado, bueno y malo, POD y POC, todos los 9, cortos, chicos y más allás.

¿Cuánta duda estás usando para crear la falta de dinero estás eligiendo? Todo lo que eso es, por un dioszillón ¿lo destruyes y lo descreas? Acertado y equivocado, bueno y malo, POD y POC, todos los 9, cortos, chicos y más allás.

¿Qué has creado con tu vida que no has estado dispuesto a reconocer que si lo reconocieras, podría crear mucho más? Todo lo que eso es, por un dioszillón ¿lo destruyes y lo descreas? Acertado y equivocado, bueno y malo, POD y POC, todos los 9, cortos, chicos y más allás.

¿Qué eres capaz de crear ahora que has estado reacio a percibir, saber, ser y recibir que si lo eligieras se actualizaría en menos trabajo, mucho más dinero, muchos cambios más grandiosos en el mundo? Todo lo que eso es, por un dioszillón ¿lo destruyes y lo descreas? Acertado y equivocado, bueno y malo, POD y POC, todos los 9, cortos, chicos y más allás.

Parte Cuatro

Historias
de Cambio

HISTORIAS DE CAMBIO

Algunas veces cuando lees acerca de cómo una persona cambio su realidad con el dinero, puede ser fácil pensar "Oh, es diferente para ellos, fue más fácil para ellos de alguna forma, probablemente no funcionará para mí."

Realmente no importa de dónde seas, cuántos años tengas, cuán joven eres, ya sea que tengas algo de dinero, mucho dinero o nada de dinero: tu situación económica no tiene que verse como fue en el pasado, o incluso como se ve hoy; puede cambiar y se puede expandir.

Tengo muchas personas alrededor de mí; maravillosas, fantásticas, personas que sé que no siempre tuvieron la situación que tienen con el dinero como es ahora, y estaba emocionada de poder entrevistarlos, específicamente para compartirlo con ustedes en este libro.

Todas estas personas o crecieron o vivieron en situaciones en donde tuvieron dificultades con el dinero y tenían puntos de vista limitados con el dinero, y lo cambiaron. Espero que sus historias los inspiren y les contribuya a que sepan que cambiar la deuda y los puntos de vista respecto al dinero no tiene porqué es significativo, es tan solo algo que puede cambiar en tu vida.

Nota: Las siguientes entrevistas son transcripciones editadas. Las entrevistas completas fueron transmitidas en el programa de radio del Gozo de los Negocios. Puedes escuchar los programas grabados en nuestros archivos en http://accessjoyofbusiness.com/radio-show/

ENTREVISTA CON CHRISTOPHER HUGHES

Tomado del programa de radio por internet del Gozo de los Negocios "Salir de la deuda gozosamente con Christopher Hughes" transmitido el 27 de Julio de 2016.

¿Cómo era tu vida cuando tenías deuda? ¿Cómo funcionabas cuando no tenías dinero? ¿Cuáles eran unos de tus puntos de vista claves?

El lugar desde el que funcionaba y mis puntos de vista claves respecto al dinero en ese momento es que era muy difícil; que no tenía oportunidades como otras personas tenían, o que no había suficientes cosas allá afuera que yo podía hacer que funcionaran.

Pensaba que no había suficiente dinero y que no había suficientes personas que pudieran ayudarme con lo que yo quería hacer, o que estuvieran suficientemente interesados en los productos y servicios que yo estaba ofreciendo, o ya sabes, x, y, y z razones.

¿Eso estaba vinculado de forma cercana con todos los lugares en donde no estabas dispuesto a ver el valor de ti o al valor del dinero?

Bueno, sí y no. Era el valor de mí pero también, hice de mi situación la razón por la cual no tenía el dinero que requería. Y algunas veces era irreal lo poco que tenía. No sólo había deuda pero era como "wow, el tanque de gasolina está muy cerca de estar vacío y tengo 50 centavos. Hmmm. Voy a manejar lento porque quiero usar menos gasolina. Si tan solo pudiera asegurarme de llegar a casa."

Era como "¿Qué puedo hacer con una lata de atún para hacer de esta noche algo interesante?" ¡Si es que podía pagar por el atún! Pero todo era por proyectar las razones en mi situación. Es muy chistoso porque, en mi vida, nunca había hecho algo así antes. Probablemente tenía más tendencia de juzgarme por algo, pero por alguna razón con el dinero, siempre decía que era un tema del escenario en el que estaba; la situación en la que estaba, las circunstancias que me rodeaban. Ese era el lente en particular a través del cuál estaba mirando todo el tiempo.

Así que ¿no era tu culpa? Así que era culpa de todos los demás que no tuvieras dinero ¿este tipo de cosas? ¿O así fue cómo te criaron?

Absolutamente. Me tuve que hartar en verdad, estar muy frustrado y molesto con no tener dinero para decir "Espera un minuto. ¿Por qué estoy eligiendo esto? ¿Porqué estoy culpando al escenario y a la situación?" Me di cuenta, mientras estaba yendo a clases de Access Consciousness y de contemplar largamente al escenario: "Oh, así es como mi madre vive y así me crió." Ella también tenía todas las razones del mundo para culpar a los demás. Se casó cuando tenía 16 años porque se embarazó, y terminó la relación cuando tenía 25 años y tenía 3 hijos. El más grande tenía como 9. Y ella había hecho hasta el bachillerato, sin tener ninguna otra educación. Y mi padre era un hombre bastante violento. Me acuerdo cuando me estaba recogiendo del último día en el kínder y manejamos a otra ciudad para escondernos de él porque era tan violento. Y ella trabajaba en tiendas de conveniencia 7-eleven durante el día y estudiaba el bachillerato en la noche, para que poco a poco fuera para arriba. Pero tenía muchos puntos de vista. Me criaron en ese escenario y situación donde tu destino en la vida es luchar, es difícil. Era lidiar con esos naipes que se te habían dado, no que tú lo crearas.

¿Hay algo que recuerdes distintivamente donde creaste la energía de evitar, o ignorar o que siempre ibas a estar en una deuda perpetua?

El giro que yo le di a eso, o la marca, fue cuando estaba viajando; yo era un viajero. Nací en un pueblo pequeño de Canadá pero me fui en cuanto pude, porque eso es lo que hacías, a menos de que estuvieras embarazada, como mi mamá. Así que estaba viajando constantemente, reinventándome a mí mismo y moviéndome de un lado del país al otro durante 4 años y después me mudé a Asia por algunos años, y moviéndome aquí y allá. Y nunca tuve que establecerme en ningún lado o comprometerme a crear una vida en donde estuviera.

Así es que sí, había muchos de esos sobres llegando que decían "Vamos a cortarte este servicio" o "No hiciste esto" y para mí eso nunca lo consideré impactante en mi vida, porque no estaba realmente comprometido a estar ahí; solamente decía "ah bueno." Solía ir de un automóvil chatarra a otro, porque era lo único que podía pagar y eran los peores automóviles que hubieras visto en tu vida.

Me acuerdo que, un día, uno se descompuso y solo dije "Ah" y tomé el cambio que estaba en el portavasos, lo metí en mi bolsillo y dejé el automóvil ahí a una orilla del camino y simplemente me fui. Porque era todo el asunto. No estaba realmente dispuesto a comprometerme con tener una vida en la que cuidara de mí mismo o de ese tipo de cosas, cubriendo todos mis gastos y donde me honrara no sólo cubriendo los gastos, sino teniendo más para mí.

De hecho fue muy cómico, tengo que contar el resto de la historia después de dejar el automóvil chatarra. No solo fueron las monedas de la consola del automóvil lo que llevaba conmigo. Tomé eso, pero también estaba viviendo en la Costa del Sol en Queensland en ese momento, que es como a 2 horas de Brisbane, que es donde el automóvil se había descompuesto, y había estado en Brisbane y había comprado un regalo de navidad para Brendon, la pareja de Simone, así que lo tomé y las monedas también, era un juego de sartenes y ollas porque a él le estaba empezando a gustar mucho el cocinar, y tomé el cambio y lo usé para tomar un tren de Brisbane a la Costa del Sol y recuerdo que no tenía nada y llegué a la Costa del Sol. La estación del tren estaba a 25-45 minutos de donde yo estaba viviendo y dije "no sé como llegar a casa". No tenía dinero.

.

¿Entonces como llegaste a casa?

"Tenía tan poco dinero que tuve que llamar a todas las personas a las que conocía para encontrar alguien que me acercara a los últimos 30 minutos a la casa."

Recientemente tuviste tu primer viaje en un automóvil Tesla. Cuando saliste de ahí dijiste "Ok, creo que quiero un automóvil nuevo. Creo que es momento de un ascenso." Actualmente un automóvil Tesla cuesta 220,000 dólares Australianos. Cuando ves algo así en tu vida... ¿en donde hubiera estado algo así en tu universo años atrás? ¿Cuál era el punto de vista? ¿Cuál era tu punto de vista? ¿Y cuál es tu punto de vista ahora?

Hace años, y no hace tantos de hecho, yo hubiera dicho "Oh por Dios. Ni lo consideraré." Pero hubiera dicho lo mismo con un automóvil de $50,000. Así que un automóvil de $220,000 hubiera sido ridículo y absurdo y por qué tendrías que considerarlo, ni siquiera veas un automóvil así; ni siquiera camines al lado de él. Ahora ya no. Ahora diría "Ok. Para crear algo así para mí tendré que hacer algunas negociaciones y necesitaría ver qué es lo que puedo obtener en cuanto a un financiamiento, pero probablemente podría lograrlo."

Recientemente, fui a una tienda y compré tres de estas preciosas camisas y cada una de ellas costaba $500 que, de nuevo, previamente, cuando tenía deuda eso hubiera sido como "Woah ¿qué estás haciendo?" Pero compré todas las que eran de mi talla. Hubiera comprado más si hubieran tenido. Y ese fue un punto de vista y paradigma tan diferente. Fue "Sí ¿Por qué no?" Esa fue una de las cosas más notorias de no estar en deuda, es que hay un área enorme en mi vida en que ya no funciono desde la limitación.

¿Qué lugares en tu vida cambiaste para crear eso? ¿Qué demanda tuviste que hacer? ¿Qué herramientas usaste para cambiarlo para que ya no funcionaras desde la limitación?

Hubo varias cosas. Es decir, están estas herramientas en Access Consciousness que Gary Douglas me regaló, que fue la cuenta del 10%. En donde por cada dólar que entra a tu vida, tomas el 10% y lo guardas como una forma de honrarte a ti mismo; nunca lo gastas, no lo usas en recibos, no lo usas para lo que sea. Pero para mí eso fue complicado. Nunca pude racionalizar para mí que, si recibiera un sobre rojo que decía "Vamos a cortar tu electricidad" que no pudiera usar mi 10% para eso. Así que lo que hice fue, empecé a engañarme a mí mismo para tener dinero, y mi forma de hacerlo fue comprando plata.

La plata es una mercancía intercambiable en el mercado de valores. Tienen un precio de inicio para mercadear con la plata. Es una divisa. Así que compraba este tipo de cosas con mi 10% que valían dinero, pero que no podía usar para pagar una cuenta. Es decir, sí podrías ir y que te lo cambiaran por dinero o lo que fuera, y quizá pierdas dinero o ganes dinero en el intercambio, pero eso no era realmente conveniente. Y ese pequeño espacio entre el tiempo que tomaría para cambiar el producto y pagar la cuenta siempre era suficiente para decir "No espera. Realmente me gustaría mucho tener eso en mi vida." Y lo que era genial para mí también, es que con mi 10% compraba una cuchara por $40 dólares o algunas veces compraba un kilo de plata, lo que hoy equivale como a $900 dólares australianos. Y después de un tiempo, esos pequeños incrementos más grandes incrementos empezaron a sumarse. Recuerdo haber aplicado para una hipoteca hace uno o dos años, y no tenía idea si podía calificar para la hipoteca o no; si el banco realmente me prestaría algo de dinero. Y fuimos yendo alrededor de la casa y sumando toda la plata y oro y diferentes cosas y tenía cerca de $150,000 sólo en plata.

Basado en eso el banco dijo "Si, te prestaremos dinero. Eres rico en activos." Y dije "Ah. Eso es nuevo." Así que esa cuenta del 10% probablemente fue la llave más grande para mí, para engañarme a tener dinero, porque en mi vida siempre había sido grandioso en crearlo, no tan bueno en tenerlo.

¿Empezaste tu cuenta de 10% inmediatamente o cuál fue tu punto de vista inicialmente de esta herramienta?

No empecé inmediatamente, para ser totalmente honesto. Había estado tomando clases de Access Consciousness quizá por unos 10 años y tenía muchos puntos de vista respecto al 10%, porque me decía "No importa." Porque llegaba una factura entraba y me decía a mí mismo "No hay forma que vaya a crear más el tener este dinero en el banco cuando tengo esta cuenta enorme que no sé cómo pagaré."

Gary Douglas siempre decía "Pide y recibirás. Pide que el dinero venga. No gastes tu 10%. Eso es honrarte a ti. Pide que el dinero venga." Y siempre me ponía a mí mismo después de la cuenta por pagar; hacía más importante a la cuenta y la pagaba primero. Y cuando empecé a comprar estos "instrumentos financieros" la plata, las antigüedades, etc., como yo los llamo, que no son inmediatamente líquidos, era más difícil gastarlo, y tenía esta energía de riqueza poco a poco subiendo en mi vida. Y ahora, veo mi casa y digo "Hmm. Todo es súper valioso."

Mi esposo y yo estábamos buscando en una subasta el otro día, la colección de cosas de una dama; pinturas y plata y joyería y muebles que ella había coleccionado durante toda su vida, y la estaban subastando. Y vimos nuestras cosas y dijimos "¡Estamos a la mitad de nuestros treintas y tenemos mejores cosas! Cosas más valiosas. No desde el juicio, pero sí nos hizo decir "Wow. Estamos amasando riqueza rápidamente!" Y no se trata de ahorrar y no es acerca del dinero; es respecto al gozo que eso nos trae. Y realmente empezó con esa cuenta del 10%.

Por cada dólar que viene a tu vida que tú ganas, toma ese 10% y guárdalo en otro lado para honrarte a ti mismo. Si quieres comprar oro o plata y cosas que sabes que no perderás dinero, grandioso. Adelante. O, si eres un poco más disciplinado de lo que yo era, solamente guárdalo, en una cuenta, aparte, o en el cajón de calcetines o lo que sea que funcione para ti, en donde tienes dinero; tienes ese dinero. Porque esa fue la parte difícil para mi.

Cuando cuentas estas historias de cómo pasaste de no tener dinero a tener dinero, de dejar tu automóvil a un lado del camino con unas monedas en la bolsa a $150,000 de plata en tu casa.. No hace tanto que tuviste esta "racha de pobreza".

Si sacara los números sería hace 4 años. Así que en 4 años ir de eso a ver mi casa; no solo que tengo una casa, si está hipotecada, pero tenemos una casa, tenemos dos automóviles y tenemos un montón de antigüedades valiosas y una caja de gemas no usadas y una pila de plata y un montón de oro y es un mundo diferente.

¿Qué te hizo querer salir de la deuda?

Se me ocurrió en algún momento que al tener deuda y no permitirme a mí mismo tener dinero, estaba limitando severamente lo que podía crear en el mundo. El cambio que era posible para mí inspirar en otros y, es decir, no era para tener un automóvil más lindo o una casa y estilo de vida elegante, era más acerca de darme cuenta que en verdad puedes influenciar al mundo y cambiarlo si tienes los recursos para hacerlo.

¿Ha habido alguien que haya sido una inspiración para crear ese cambio?

Tú Simone, fuiste una inspiración masiva para crear ese cambio. Has sido mi amiga por 10 años. La generosidad que yo te he visto ser con las personas, no desde el lugar de "hacer que les caiga bien" o desde el "Soy mejor que tú, yo voy a cuidar de ti" espacio de superioridad, pero desde la energía del "reino de nosotros", en donde es que todos tengan y que realmente contribuyan a todos y lo que están tratando de construir. No quiero usar la palabra "apoyo" pero lo que te veo hacer, el dinero para ti nunca ha sido una motivación barata; sí, es divertido, pero es lo que puedes hacer con él lo que es muy inspirador.

Tengo una buena relación también con Gary Douglas y todas estas son personas que no funcionan con el dinero de la forma en que te dicen que se supone que tienes que hacerlo; ya sabes, las películas, los medios, en la forma en que esta realidad te dice que tienes que ser con el dinero. Vi una posibilidad diferente con el dinero y me hizo decir "¡Huh quiero eso!" No se trata de tener anillos grandes en mis dedos, es acerca de lo que puedo crear.

Ahora que tienes dinero ¿qué punto de vista podrías decir que tienes respecto al dinero?

Hay un par de cosas que vienen a mi mente inmediatamente. Ahora el dinero es más divertido. El dinero es como wow, cuando digo estas cosas puedo sentir a la gente que nos está escuchando decir "Eehm ¡es tan fácil para ti!"

Me acuerdo que una vez yendo a una de esas clases de yoga, y yo nunca he sido una persona naturalmente flexible físicamente. Y recuerdo haber ido con mi maestra de yoga y decirle "No puedo hacer este movimiento. No me puedo doblar de esa forma." Y ella me decía "Eso es tensión. Tendrías que dejarla ir." Y yo quería darle un puñetazo en la cara o estrangularla con la licra que ella portaba; perdón por la imagen mental. Pero lo que ahora es el dinero, me di cuenta que realmente es un punto de vista lo que crea el tenerlo o no tenerlo, es como si quieres una relación y no la tienes. Una vez que tienes una te das cuenta "Oh, espera. No es la imposibilidad y la fantasía y el sueño que yo había inventado que era. Una vez que tienes dinero, no es como que nunca tengas que enfrentarte con ninguna complicación o que nunca tengas problemas en tu vida.

De cualquier forma tu vida se vuelve más grande si estás dispuesto a que se vuelva más grandiosa; las opciones, las posibilidades, las puertas se pueden abrir para ti si estás dispuesto, pueden crecer, es tu elección. Ahora me doy cuenta que el dinero nunca es la respuesta. Hay tantas personas allá fuera sin dinero o que tienen deuda diciendo "Si tan solo tuviera dinero y una pareja, y, y, y..." Haz construido una lista de cosas que te gustaría tener como si eso fuera la respuesta y como si fueran a crear tu vida por completo. Pero eso no es así para nada. El dinero es sólo un combustible; es sólo una herramienta que te lleva a donde estás yendo. Eso es lo que puedo ver ahora, y entre menos tengo puntos de vista y más hago la creación de esto algo divertido, más fácil es.

Entonces que más dirías que ha cambiado con tu punto de vista respecto al dinero? ¿Cuál es esa parte de la energía que las personas podrían cambiar o cuál es una herramienta que las personas pueden usar para cambiar sus puntos de vista respecto al dinero?

Probablemente el mejor consejo o herramienta que les puedo dar es, de hecho, el problema nunca es el dinero; nunca es el dinero en sí mismo que está creando el problema, que está creando la carencia o el drama que estás teniendo en t vida. Hay mucho allá afuera. Es como, tú sabes, una de nuestras películas favoritas, y una de las mías es Auntie Mame con Rosalind Rusell, y ella dice "El universo es un banquete pero la mayoría de los tontuelos se están muriendo de hambre."

Ahí está. No hay una cantidad finita de dinero en el universo. Yo trato con antigüedades, y es una industria en donde la mayoría de las personas están funcionando desde la escasez. Tienen el punto de vista que la industria se está muriendo; las personas ya no desean lo que nosotros tenemos.

Yo trato con antigüedades en muebles y joyería, plata, pintura, arte chino, arte africano, lo que sea. Y cuando la oportunidad primero llegó a mi puerta dije "Oh, por Dios. ¡No puedo pensar en algo más aburrido!" Y wow, no ha sido para nada así. En esa industria, lidio con tantos comerciantes de antigüedades, especialmente en Australia. Muchos de ellos están funcionando desde una escasez increíble; que no hay suficiente dinero, que las personas no están interesadas, que es muy difícil, las casas de subastas se lo están quitando a los distribuidores y que lo están haciendo muy difícil para ellos el que tengan los precios que ellos quieren. Realmente todo es un punto de vista.

Si quieres una herramienta para cambiar tu situación: tu punto de vista crea tu realidad. Pregúntate y realmente míralo bien "¿Cuál es mi punto de vista respecto al dinero?" ¿Cuál es tu punto de vista de ti con respecto al dinero? Considera algunas de esas cosas, empieza a preguntarte a ti mismo y úsalo. Hay un libro fabuloso en Access Consciousness llamado cómo convertirte en dinero. Creo que cuesta como $30, a menos que haya cambiado, pero es un libro fabuloso en donde puedes preguntarte a ti mismo estas preguntas y puedes cambiar, completamente, 180 grados, tu situación financiera completa, haciendo esa inversión en ese libro. ¿Y por qué no? Es decir, lo único que puede hacer es ayudar.

Cuando quieras hacer algo o tener algo y no tienes el suficiente efectivo para ello ¿qué puedes hacer? ¿Qué herramientas usas para crearlo o cómo te aproximas a esta situación?

Ajá. Buena pregunta. Me gusta esta pregunta porque, no importa cuánto dinero tengas o no tengas, puedes siempre seguir preguntando y buscando más. Así que no necesariamente es acerca de tener deuda o no tener suficiente. Por ejemplo para mi ahora, comprar ese automóvil Tesla del que hablábamos anteriormente, por $220,000 por ejemplo, eso requeriría que yo hiciera malabares o reacomodará o creara algo para conseguirlo. Así que, en términos de herramientas que usaría para lograrlo, una de las recomendaciones más grandiosas que he recibido respecto al dinero y las finanzas es, ten mucha claridad de lo que cuesta manejar tu vida. Siéntate con una pluma y papel y escribe tus egresos, cuáles son tus gastos. Así que tienes tu renta, tienes tu cuenta de teléfono, tienes el "voy a salir a tomar un trago"; no sólo los básicos pero realmente en qué gastas.

Hice esto una vez en un negocio cuando empecé ahí, y le pedí al contador que me trajera la copia del estado de resultados, me senté con ella y me di cuenta exactamente a dónde se estaba yendo todo el dinero de la organización. Y tomé conciencia acerca de la situación financiera de la compañía. Así que ¿Cuánta claridad tienes respecto a tu situación financiera? Yo doy muchas clases respecto a ventas y marketing y estuve aquí contigo Simone en Copenhague tomando una, y ha sido un gran regalo para mi, y la recomendación que yo doy en las clases fue que las personas tuvieran mucha claridad de su negocio y de sus vidas de en dónde están financieramente.

En marketing hay un viejo dicho que dice "50% de mi publicidad es presupuesto desperdiciado. El asunto es que no estoy seguro cuál es." Y con las finanzas de las personas es lo mismo. Es sorprendente cuántas personas están allá afuera sin tener mucha idea de cuánto dinero generan por mes y de cuánto realmente están gastando. Así que si quieres crear el dinero para llegar ahí, haz un inventario de tu situación, conoce dónde estás y lo que requieres para llegar a donde quieres. No se trata de construir el paso a, b, c, d, de forma lineal, pero saber "¿Dónde estoy ahora y cuál es mi objetivo?" Para mí, tener un objetivo es de mucha ayuda. Digamos que tengo algunos objetivos, he estado considerando abrir una sucursal, para mi negocio, calculo cuánto costaría eso y pido que eso se presente y después sigo la energía permitirá que eso suceda. De nuevo, no es tomar pasos lineales de cómo voy a hacerlo cuánto voy a necesitar y sacar el látigo en mi negocio para que todos cumplan con los objetivos de venta. Es más el decir "Ok, ahora tengo la conciencia… ¿qué tomaría para crear eso?

Christopher ¿puedes decirme un poco más acerca de dónde te pueden encontrar las personas y de lo que estás haciendo? Porque sé que estás dando estas clases maravillosas que se llaman La Elegancia de Vivir.

Si facilito un grupo de clases llamadas La Elegancia de Vivir, en donde enseño todo referente a los diferentes aspectos de la riqueza y vivir con eso que me gusta decirle los rasgos del dinero; a pesar de que la palabra "rasgos" parece ser una palabra cargada, aún creo que es divertida. Y aprender más acerca de las antigüedades y el arte es como puedes sumar a tu vida y a tu riqueza.

Mi pareja y yo, empezamos con esto porque tomamos el cambio de nuestra alcancía en la casa y teníamos $500 y fuimos a subastas y compramos un montón de cosas y empezamos a venderlas y pronto los $500 se convirtieron en $3000 y $3000 se convirtieron en $9000; todo con una pequeña micro economía que empezamos, que hemos crecido a algo enorme. Así que, eso enseño en La Elegancia de Vivir y también enseño acerca de cuestiones de ventas, marketing, o facilitar, en lugar de enseñar de hecho. Tengo un sitio www.theeleganceofliving.com y también www.theantiqueguild.com.au si quieren ponerse en contacto conmigo o si me quieren hacer preguntas.

Entonces ¿Hay alguna otra herramienta o pregunta o algo así que quisieras darle a las personas con lo que se podrían quedar y empezar a cambiar su realidad económica hoy?

Para tantas personas creo que el problema es, si son algo parecidos a mi, hay algo respecto al dinero, o un saber respecto al dinero, que estás evitando. Para mí, eso es lo que fue. Y si eso resuena en algo contigo, yo empezaría a preguntarme a mí mismo "¿Qué es lo que estoy rehusando respecto al dinero?" Porque en todos los lados que estaba metiendo mi cabeza en la arena y estaba haciendo la personificación de un avestruz, era donde estaba creando mi limitación con respecto al dinero. Esa es una pregunta que me estaría empezando a hacer "¿Qué de esto estoy evitando?" Yo decía, cuando tenía deuda, te escuchaba Simone y a otras personas decir lo mismo y me enojaba tanto. Yo decía "Es mucho más difícil no hacer dinero de lo que es hacer dinero." Y se me ocurrió, si yo lo estoy haciendo más difícil ¡obviamente estoy evitando todo lo que se me presenta de primera mano! Entonces ¿Qué estás evitando acerca de tener y ganar dinero? Pregúntate. No se trata de ver si estás en lo correcto o incorrecto. Sólo pregúntate. En donde estás parado no es incorrecto.

ENTREVISTA CON CHUTISA BOWMAN Y STEVE BOWMAN

Tomado del programa de radio el Gozo de los Negocios "Saliendo de la deuda con gozo con Chutisa y Steve Bowman" transmitido el 22 de Agosto de 2016.

Steve me encantaría que me contaras un poco acerca de cómo eras con el dinero mientras crecías. ¿Cómo era esto para ti? ¿Tenías educación respecto al dinero? ¿Te enseñaron cosas respecto al dinero? ¿Era algo escondido? ¿Ignorado? ¿O era algo que era abiertamente discutido y comentado?

Steve:

Sabes, es la primera vez que alguien me hace esa pregunta. Esta es la primera vez que la voy a responder. Entonces, cuando estaba creciendo, mi madre era madre soltera y tenía tres hijos, teníamos un padre bastante abusivo que nos estuvo persiguiendo durante unos 15 o 20 años. El dinero nunca jamás se mencionaba. Pero nunca se mencionaba de forma positiva o negativa. Nunca se mencionaba como juicio o como posibilidad. Literalmente nunca se mencionaba. Así que supongo que, pensándolo ahora, crecí sin saber los puntos de vista de otras personas respecto a lo que era el dinero.

Así que cuando empecé a ver las cosas… siempre supe desde una edad muy temprana, incluso antes de conocer a Chutisa, y nos conocimos cuando teníamos 16. Ella fue mi primera novia, yo fui su primer novio, y después nos casamos y ahora hemos estado casados desde hace 40 años. Así que el asunto con eso fue, siempre hemos tenido un punto de vista diferente respecto al dinero. No sabíamos cuáles eran los puntos de vista de las otras personas porque no crecimos con, o *yo* no crecí, con ninguno de esos puntos de vista respecto al dinero. Así que lo interesante de esto fue, cuando veo al dinero ahora, estoy dispuesto a cambiar mi punto de vista al respecto, porque nunca crecí con ninguno.

Si no hubo punto de vista respecto al dinero, ya fuera una cosa positiva o negativa ¿las cosas eran costeables? o las cosas se ponían como en "Eso lo puedes recibir solo en la Navidad o en tu cumpleaños" ¿o había un flujo de efectivo que estaba disponible?

Steve:

Lo interesante es, cuando veo a mi familia, mi hermana por ejemplo, compró el punto de vista que el dinero siempre era el problema de alguien más, no de ella. Ahora, crecimos en la misma familia, pero siempre escuchas o ves las cosas de diferente forma. Así que lo que podría decir que he aprendido a través de los años, es que tu punto de vista es el que importa. No es el punto de vista de nadie más. Así que puedes echarle la culpa a tus padres, puedes culpar a la sociedad, pero esa solo es una excusa para que tú no cambies tu punto de vista respecto al dinero. Así que una de las cosas que descubrí por ejemplo, yo crecí sin dinero. Y cuando conocí a Chutisa, las cosas empezaron a cambiar porque empezamos a crear nuestra vida juntos. Y por ejemplo, fuimos a Estados Unidos y nos quedamos ahí. Vivimos ahí por dos años, y vivimos ahí con $2 dólares al día. ¿Cómo les llaman a esas cenas? ¿Cenas de cine? ¡Cenas de TV! Dos dólares por noche. Vivimos con ese dinero durante un año, o año y medio. Pero siempre supimos que podíamos crear dinero y si creamos algo mientras estuvimos allá. Lo que nos dio el saber que de hecho si podíamos crear. Así que el dinero no entró en la foto. El hecho de que podíamos crear, si entró en la foto.

Dijiste que cuando conociste a Chutisa, tuviste más como una consciencia de lo que podías crear. ¿Percibes que era tener una persona alrededor de ti que no tenía puntos de vista respecto a lo que era la creación o cómo se ve eso para ti de que otra persona esté creando?

Steve:

De nuevo otra pregunta ¡Otra pregunta que nunca se me ha hecho antes! Así que una de las cosas geniales de estar con alguien que siempre ha sido creativo, no hacer creatividad sino realmente ser creativo, eso hace que surja lo creativo en ti, en mí; y lo trae también para mí. Así que hemos creado nuestra vida desde el cómo queremos que sea nuestra vida y lo interesante de ello es que también incluía el dinero. Una de las cosas que diré hoy, es que uno de los más grandiosos regalos que todos te pueden dar en la vida y que hemos aprendido en los últimos años, es que nunca es demasiado tarde. Nunca es demasiado tarde para crear cambio, nunca es demasiado tarde para cambiar tu realidad financiera. Cada año vemos ¿qué podemos cambiar, qué más podemos cambiar, qué más podemos cambiar? Incluso hace tres semanas cambiamos por completo nuestra vida respecto a nuestra realidad financiera de muchas diferentes maneras. Así que la clave de esto es, si tuviéramos un punto de vista respecto a lo que tendría que haber sido el dinero, o no tendría que haber sido, entonces no podríamos haberlo cambiado. Lo que encontramos es que cuando empezamos a ver cuál es el punto de vista acerca del dinero, o acerca de la deuda, si estamos dispuesto a cambiar eso, todo cambia. Lo encontramos cada año. No es una cosa que elijas solo una vez. Pasa todo el tiempo.

Recuerdo que cuando vivía en Londres y apenas tenía algo de dinero y tenía por lo menos 50 recetas que podías hacer con tallarines de dos minutos. No tenía el punto de vista de que era pobre. No tenía el punto de vista de carecer algo. Solo estaba dispuesto a estar consciente de que no gastaba dinero comprando muchos tipos diferentes de comida o comida costosa, tendría más dinero para viajar. Porque en ese momento, el viaje era definitivamente una de las prioridades para mi. Así que mi pregunta es que, cuando estuviste viviendo con $2 dólares al día con tus TV dinner ¿Cuál era tu mentalidad? ¿Cuál era el punto de vista que tenías?

N. del T. TV dinner son comidas precocinadas que se acostumbran ver frente al televisor

Steve:

El punto de vista para nosotros era que podíamos hacer lo que se requiriera para crear más. Así que estaba haciendo dos Maestrías en Washington DC y Chutisa, de la nada, creó un negocio de diseño de moda muy exitoso que era de lo que platicaba la gente en Nueva York; mientras que vivíamos con $2 dólares por día en las TV Dinners, y era porque nunca nos vimos como pobres, sabíamos lo que habíamos creado. Solo teníamos que crear. Y ella fue absolutamente maravillosa durante esos dos años que estuvimos ahí. Ella trabajaba 23 horas al día para crear, y de hecho creó un negocio de diseño de modas muy exitoso; lo cual no se había escuchado antes. Y yo estaba haciendo dos maestrías al mismo tiempo, que tampoco se había escuchado antes, pero no pensábamos en eso, solo que era eso lo que estábamos eligiendo para crear nuestra vida.

Chutisa, me encantaría saber ¿Cómo te criaron respecto al dinero? ¿En qué te educaron? ¿Te enseñaron? ¿Te enseñaron algo o fue ignorado o no te permitían hablar al respecto? ¿Cuál era la vibra general en tu familia? Ahora, ¿Creciste en Tailandia?

Chutisa:

Si, Crecí en lo que clasificarías como una familia muy aristocrática. Así que hablar de dinero quiere decir que te estás jactando o estás siendo molesto al respecto, así que no tendrías que estar hablando mucho acerca del dinero. Pero mi padre es lo que llamarías la oveja negra de la familia, así que él hacía todo lo que se supone que no tendrías que hacer en la familia aristocrática; así que lo juzgaron muy mal. El pensaba en sí mismo como un emprendedor, así que en ese tiempo, estamos hablando de hace 60 o 70 años, no había tal cosa como emprendedores. Lo juzgaban como alguien riesgoso, alguien que tomaba riesgos, haciendo cosas terribles con el dinero. Así que tuve experiencia en lidiar con el juicio que fue proyectado en él y claro a mi familia, porque tuvimos un padre que estaba yendo en contra de la sociedad y en contra de la cultura que (creía) que él tenía que estar trabajando y haciendo buen dinero y haciendo lo correcto. Pero él salió intentando crear el negocio que no era tan exitoso. Así que ese tipo de ansiedad respecto al dinero ahí estaba. A pesar de que teníamos dinero, la ansiedad respecto al dinero era enorme.

Cuando dices "cosas terribles" ¿era un juicio solo porque era diferente? ¿En qué otro tipo de cosas se involucró mientras tú estabas creciendo y de las cuales tu aprendiste?

Chutisa:

Es una de esas personas que tenía grandes visiones. Tú sabes, si algunas personas quieren entrar a mundo del autoservicio, mi padre vería construir un centro comercial completo. Si alguien más estaba pensando en hacer algo, por ejemplo, construir un garaje, él pensaba en construir un aeropuerto; eso es lo que él estaba haciendo. Tenía capacidades para que las personas invirtieran en todo este tipo de cosas. Y me di cuenta que, sabes, hay dos cosas: uno tiene la capacidad de hablar del dinero e inspirar a personas a donar; invertir. Pero tenemos que tener la capacidad para generar también; que tiene que ver con el hacer, también. Tienes que poder hacer que suceda. Siento que ese es el camino que él tenía que tomar para ser exitoso.

Sé que Steve tenía algo más que agregar aquí, con el padre de su hermosa esposa y cómo era él y parecía ser. ¿Steve?

Steve:

Pues, es interesante. Cuando tienes un montón de personas que juzgan eso es porque no encaja en su realidad; no encaja en la realidad de una familia aristocrática. Él fue brutalmente juzgado por la mayoría de las personas de su familia. Sin embargo, en su funeral que resultó que estábamos ahí cuando murió, había oficiales de gobierno de alto nivel y había personas de dudosa reputación. Y se presentaron al funeral para presentar su pésame, porque él había creado algunas cosas con él pero los protegió al mismo tiempo. Así que él era un hombre del que sólo podremos saber algo de la historia. Pero porque era tan fieramente juzgado por la familia, entonces fueron solamente los últimos 10 o 15 años en que hemos tomado consciencia de que quizá él hizo cosas que nosotros no supimos y que creó un cambio enorme ahí. Así que con lo que nos quedamos de eso es que el juicio mató todas esas posibilidades.

Chutisa:

Y ese juicio es muy cierto para mí porque hasta que Gary Douglas, el fundador de Access Consciousness, me facilitó para ver que yo soy muy cautelosa, y no tomó muchos riesgos con el dinero, y veo la conexión entre el hecho de que mi padre tomaba riesgos y no era muy cuidadoso con el dinero, así que todo lo que era grande y enorme de lo que eliges. Así que cualquier cosa tan grande o enorme que yo no elegía, porque tenía esa conexión de que eso no era ser responsable con el dinero, hasta que finalmente Gary me mostró que eso no era ser alguien que toma riesgos, y todo cambió en mi universo. Ahora estoy dispuesta a ver proyectos más grandes.

Es tan interesante que digas que no tomas riesgos Chutisa. Cuando veo la historia que acaba de contar Steve de cuando estaban viviendo en Nueva York, viviendo con TV Dinners de $2 dólares al día, y tú empezaste esta línea de moda prácticamente desde la nada, para mi eso es mucho riesgo. Así que ¿Cómo ves tú eso?

Chutisa:

Alguien que toma riesgos con el dinero. Particularmente con el dinero de alguien más; nunca pongo en riesgo el dinero de alguien más. Hablando contigo ahora me he dado cuenta que arriesgo mi dinero; el dinero de alguien más, no lo pondría en riesgo. Y eso está vinculado con el juicio de... cuando estás siendo un empresario y quieres crear un éxito grande allá, tienes que poder usar el dinero de alguien más,

¿Cierto? Así que si no puedes tomar riesgos con el dinero de nadie más, siempre serás cauteloso. Así que te mantendrás chico, siempre.

¿Qué le recomendarías a la gente (respecto a tomar riesgos con el dinero de otras personas)? ¿Qué otra información tienes con eso?

Steve:

Una de las premisas de esta conversación es cómo sacarte a ti mismo de la deuda, y como hacer eso con gozo, gozosamente. Y una de las cosas que he descubierto es, hemos tenido inversionistas en negocios y los negocios han decidido cerrar, así que le hemos pagado a los inversionistas a pesar de que no teníamos que hacerlo. El asunto para nosotros, atrás de esto es que estamos dispuestos a arriesgar cualquier cosa. Nosotros, Chutisa y yo, estamos dispuestos a arriesgar todo. Pero no estamos dispuestos a arriesgar nada a nombre de alguien más. Y esa aún es una limitación. No está bien o mal, pero es una limitación. Sin embargo también hemos visto a otras personas que les importaba poco; no les importaba lo que otras personas les daban y lo que podían hacer con ello. Creo que con todo esto es que estamos conscientes de cuando otras personas están dispuestas a invertir en nuestro negocio, estar consciente y estar dispuesto a hacer el bien o lo que necesite ocurrir. Es decir, eso es sólo nuestro punto de vista. Así que lo que lo hace más fácil para nosotros es que sabemos que podemos crear dinero de la nada, constantemente, y es lo que hacemos. Saber eso ¿de qué forma podrías entrar en deuda?

Habla un poco más de esto, de crear dinero de la nada, constantemente.

Steve:

Bueno, hay tantas maneras de crear abundancia. Y hay otra conversación la diferencia entre la abundancia y la riqueza. Lo que hemos aprendido en nuestra vida es, tan recientemente como hace un par de semanas, hemos tenido estos momentos de "aja". ¡Que nunca se les olvide que nunca es demasiado tarde! Así que crear dinero de la nada es sólo una forma de verlo, hay tanto dinero allá afuera, hay tantas posibilidades allá afuera. Nos están gritando a que las volteemos a ver. Nos están gritando que las volteemos a ver, sin embargo nos rehusamos a verlo la mayoría del tiempo. Lo que hemos encontrado en nuestras vidas es que ha habido tantas cosas diferentes que ahora estamos haciendo que rehusamos ver por 5 años, 10 años o 15 años. Y ahora lo estamos haciendo, una vez que hemos superado nuestros puntos de vista, de pronto, nuestros negocios ha incrementado. Tengo una compañía muy grande de consultoría; un negocio de asesoría. Tenía el punto de vista que yo era una mercancía valiosa ¿ok? Hay dos cosas equivocadas con esa historia. Número uno, valioso. Número dos, mercancía. Así que tan pronto Chutisa y yo empezamos a explorar eso diciendo "Bueno ¿Qué pasaría si crearamos el negocio de forma diferente para que yo no fuera la mercancía valiosa en este negocio en particular? ¿Cómo se vería eso?" Y de cualquier forma hacer las cosas que nos gusta hacer. Y eso entonces creó otros negocios. Así que ahora estamos en línea. Tenemos un rango de otras cosas. Involucramos a otras personas. Una vez que superamos el punto de vista de que tenía suficiente personal, tuve a 300 personas en algún momento. Fue suficiente. Una vez que superé el hecho que no quería requería más personal, el negocio creció. Una vez que superé el punto de vista de que necesitaba personal, el negocio creció de nuevo.

¿Así que la base aquí es superar tu punto de vista?

Steve:

Ese es el asunto.

¿En donde pueden encontrar las personas encontrar más detalles de lo que están creando?

Steve:

Hay una variedad de cosas. Tenemos un sitio de internet, que es www.consciousgovernance.com Hay otro que es www.befrabjous.com que es un sitio de blogs que tiene cosas maravillosas.

La palabra frabjous viene de Alicia a través del espejo. Es un dicho de Lewis Carol que quiere decir maravillosamente gozoso. ¡Así que sé eso! Y encontrarás cosas geniales que Chutisa ha escrito ahí. También está el luxproject.com. Está nomorebusinessasusual.com. También está strategicawareness.com. Si tienes alguna duda haz una búsqueda en Google con el nombre Chutisa Bowman y encontrarás todos los sitios de internet, porque es mucho más fácil de encontrarla a ella que cuando haces una búsqueda en Steve Bowman.

Steve, hablaste respecto de educarte a ti mismo respecto al dinero. Y hablaste de la diferencia entre riqueza y abundancia. ¿Puedes hablar acerca de esa diferencia?

Steve:

El asunto es que constantemente estamos viendo los puntos de vista que tenemos de cualquier cosa. Así que tuve un punto de vista por muchos años, lo que funcionó para nosotros en algún momento, que el flujo de efectivo era lo que nuestro negocio de consultoría, y que con ese flujo de efectivo podíamos generar y crear en términos de otros tipos de inversiones. Desafortunadamente lo que hizo ese punto de vista, que me acabo de dar cuenta de ello hace unas tres o cuatro semanas, es que me detuvo de buscar otras formas generativas de abundancia, porque sólo estaba enfocado en el flujo de efectivo. Y estaba convencido en que estaba en lo correcto, por tres o cuatro años, que era flujo de efectivo. En cuanto Chutisa y yo tuvimos esta conversación "Bueno, ¿qué tal que hubiera más abundancia que sólo el flujo de efectivo? ¿Qué tal que hubiera diferentes formas de ver al flujo de efectivo? ¿Qué tal que hubiera cosas que podrían ser creadas que crearían un flujo de efectivo de una forma que no fuera flujo de efectivo, para que pudiéramos tener flujo de efectivo que no tuviéramos que decidir qué es flujo de efectivo?" Y eso cambió por completo eso, y desde entonces, hace tres semanas, creamos dos negocios nuevos que ya están creando un flujo de efectivo diferente; porque no lo estamos llamando flujo de efectivo por el momento.

¿Cuál sería la diferencia que describirías entre flujo de efectivo, riqueza y abundancia?

Steve:

Bueno, de inicio, todos son puntos de vista. Abundancia para nosotros, en este momento, y esto cambia todo el tiempo, es la voluntad de crear y generar desde esa creación. Ahora, invitaremos a Chutisa en un momento, porque ella es una erudita respecto a ver la abundancia. El flujo de efectivo puede ser muy seductivo, pero también te puede distraer del juego generativo también. Así que si, puede ser importante, pero tampoco es el juego final. Y creo que yo había malidentificado el flujo de efectivo como el juego final.

Chutisa ¿tú cuál es la diferencia que ves entre abundancia, riqueza, flujo de efectivo, etc?

Chutisa:

Bueno, la palabra "flujo de efectivo" ya tiene una energía rara para mí, todo el tiempo. Sólo me tomó, como lo dijo Steve, hasta hace tres semanas que yo le dije "el flujo de efectivo casi crea la no elección". Una vez que dejas de trabajar, o dejas de hacer todo eso, detienes el flujo de efectivo. Así que ¿Cómo sería si viéramos el construir activos como ingreso generativo creativo, como ganancia generativa?" Y cuando hablas de ganancia generativa, simplemente sigue generando más ganancias ¿Cierto? Así que es una energía diferente de "flujo de efectivo". Porque el flujo de efectivo, yo me conecto con algo lineal. Somos "baby boomers." La mayoría de las personas de esa era, nuestros colegas, están entrando a la edad de retiro, y Steve frecuentemente dice "Yo nunca me voy a retirar. Voy a trabajar por siempre." ¿Puedes sentir eso? Ya está determinando que va a trabajar por siempre ¿verdad? Así que le dije "Bueno esa también es una opción, 'tenemos tanta abundancia generativa que elegimos hacer el trabajo, para ser la contribución de hacer del mundo un mejor lugar, por siempre." Es diferente a "Voy a trabajar por siempre para que pueda tener el flujo de efectivo."

El flujo de efectivo.... no hay mucha elección en ello "tienes que tener un flujo de efectivo." Pero si tienes abundancia generativa, ésta se mantiene generándose a sí misma.

Steve:

Una de las grandes claves es la de educarte en estas posibilidades. Ahora, en cuanto digo educarte a ti mismo en estas posibilidades, puedo escuchar el "¡Eek!" en el universo de las personas. La educación puede ser tan simple como entrar a Google y hacer una búsqueda en YouTube en ¿Cómo puedo…? bla bla bla, lo que sea que fuere. Incluso si buscas algo como ¿"Qué es riqueza?" "¿Cómo hacen las personas ricas para ser ricas?" y lee tus propios puntos de vista y elige una o dos cosas que te hagan sentido a ti. Porque por lo menos es un inicio. Nos dimos cuenta hace tres semanas que había áreas de abundancia que nunca antes habíamos considerado, pero siempre habían estado ahí, gritándonos, pero nos rehusamos a ver lo que eran. Y tan pronto como nos dimos cuenta de lo que eran todas esas cosas, empezamos a entrar en acción y de pronto, estamos haciendo $1000 al día, $2000 al día en áreas que siempre hubiéramos podido haber hecho, pero no pensamos en ello. Eso era por encima y por debajo de todo lo demás que estábamos haciendo.

Chutisa ¿Qué tienes que agregar respecto a educarte con respecto al dinero? ¿En qué propondrías que la gente se empiece a educar?

Chutisa:

Creo que la pregunta clave es, cuando escuches las palabras "edúcate a ti mismo" no es como que vayas de planeación financiera 101 y algo así, o obtener una certificación como contadores. Es más el descubrir lo que es divertido para ti y aprender tanto como puedas de un tema en particular. Como dijimos acerca de la joyería. Si te gusta eso, aprende acerca de las joyas. Puede ser de antigüedades, podría ser de oro, plata, solo empieza con algo que sea divertido para ti y aprende todo lo que puedas y mantente en la pregunta acerca de qué tomaría para que generaras dinero con ello. Puedes comprar y vender o puedes diseñar. Puedes hacer todo tipo de cosas. Puede ser un entrenamiento financiero enorme el estar con algo que te fascine y solo aprender al respecto. Edúcate y después agrega aún más. Sigue agregando más.

¿Me preguntaba si pudieras hablar acerca de cómo ves la diferencia entre la deuda y desmitificar el juicio que la mayoría de las personas tienen acerca de la deuda y de estar en deuda?

Chutisa:

Bueno, lo que las personas definen como mala deuda es, que usan el dinero de otras personas, como el dinero del banco, y compran productos consumibles, y los consumibles no se expanden o generan dinero para ti. Puedes crear una buena deuda al tomar dinero, recibiendo un préstamo de un banco, digamos por un 5% de interés y usar el dinero para generar el 20-25% de ese dinero. Así que esa es una mejor manera de usar la deuda, la deuda buena.

Steve:

El asunto con la deuda es que, si estás usando dinero de otras personas, lo que es la definición de deuda, para crear un activo que entonces va a crear ganancia para ti ¿entonces por qué lo llamarías deuda? Si estás usando una deuda, eso es deberle dinero a otras personas para crear algo que vas a consumir, y no es un activo que creará dinero para ti, entonces esa es la deuda de la que te quieres mantener alejado. Así que de nuevo, el asunto es, libérate de todas las cosas en donde estás consumiendo, usando el dinero de otras personas, pero encuentra formas en que puedes usar el dinero de otras personas para crear activos que te creen dinero nuevo.

Para las personas de allá afuera que están pensando "¿Cómo puede aplicar esto para mí?" Yo tuve deuda de la universidad, y tengo esto esperando ahí "¿Qué recomiendas?" ¿Qué preguntas, herramientas básicas para que las personas empiecen a cambiar eso, a salir de la incomodidad de pensar que esa es su vida, que no hay nada que va a cambiar?

Steve:

Nunca es tarde para empezar, en cualquiera de estos temas. Y nunca es tarde para empezar, ya sea que tengas 20, 30, 40, 50, 60, 70 años de edad. No importa. Porque cada vez que cambias, entonces eso también cambia tu vida. Así que un consejo práctico en esto. Este no es un consejo financiero, por cierto. Es tan sólo un consejo práctico. Es buscar las formas en que puedes reducir la cantidad de deuda consumible que tienes, en donde haya cosas que quieras que se consumen. Ve tus tarjetas de crédito como formas de comprar activos que crearán ganancia. Ahora ¿Qué son esos activos que crean ganancias? Haz una búsqueda de Google que diga "¿cuáles activos generan ganancias?" y empieza a ver los que realmente sean divertidos para ti. Y empieza a ver cómo puedes usar algo de tu dinero que estés creando de otras maneras para empezar a generar algunos de estos activos; aunque sean sólo de $1000 al mes o $500 al mes. Es más de lo que una persona que no está generando $500 al mes. Y empiezas, bueno, empiezas; y la mejor manera de empezar es sólo empezando.

Creo que usar el ejemplo de la cuchara de plata es brillante. Si quieres comprar una cuchara de plata, edúcate respecto a cuál es el precio de la plata. Cómpralo debajo de ese precio y por lo tanto, si quisieras, derretir esa cuchara de plata, de cualquier forma ganarías más dinero de lo que pagaste por ella.

Una de las cosas que me ha maravillado a lo largo de las décadas es que si te educas a ti mismo en cualquier tema, eso quiere decir que sabes más de lo que el 99.99% de las personas que están allá afuera. Verás, las personas sólo saben lo que saben, y si tú sabes un poco más respecto a algo, entonces inmediatamente puedes ver el valor en cosas que otras personas no verán. Así que, por usar el ejemplo de la cuchara de plata. Lee un poco respecto a la plata. Entra a aprender del asunto. Toma una clase de media hora en YouTube por nada acerca de "¿Cómo valoras la plata?" Lo ves y después haz otra búsqueda de "¿Dónde puedo comprar una cuchara de plata?" Compra una cuchara por debajo del valor de la plata derretida. Y después haz otra búsqueda en "¿En dónde puedo derretir plata?" La derrites. Y con ello ya generaste un 20% extra de lo que habías generado antes. Ahora, si hicieras eso tres veces a la semana ¡imagínate!

¿Está mal que haya dicho "Oh no, no derritas la linda plata?" Steve, yo seré quien te la compre para que no la derritas ¡siempre hay algún cliente en algún lado!

Te he oído hablar mucho acerca de las ganancias, acerca de maximizar las ganancias.

Steve:

Bueno, uno de los detalles de eso es, encontramos que muchas personas preferirían tener 100% de nada, que 20% de algo. Y si tienes el punto de vista que quieres maximizar la cantidad de ganancias que vas a obtener de algo, ya ganaste, porque siempre estarás buscando el mejor momento para venderlo, al mejor precio. ¿Qué tal si estuvieras realmente cómodo sabiendo que acabas de crear 25% más de lo que tenías cuando entraste en ello? ¿Y qué tal si hicieras esto constantemente, constantemente, constantemente? ¿Cuánto crees que pudieras generar en un año, si todo lo que tocaras lo pudieras vender por 25% más? No por 300% más, no por 500% más, pero por 25% más? La mayoría de las personas preferirían esperar 3 años y vender algo por el doble de precio que vender algo por 25% más, 10 veces al año.

Steve ¿Hay algo más que quisieras comentar con todos?

Steve:

Sólo me gustaría invitar a todos los que están escuchando o leyendo esto a que salgan y empiecen a ver lo que está disponible, gratuitamente acerca de crear y generar abundancia. Y sólo elijan una cosa. Si eliges una cosa, entonces estarás por delante del 99% de la población. Y este es uno de los grandiosos regalos de salir de la deuda, es salir de tu punto de vista. Todo es respecto a tratar de salir de la deuda. ¿Qué tal que todo no fuera respecto a salir de la deuda? ¿Qué tal que fuera acerca de generar activos?

Chutisa, ¿Algo más que quieras agregar?

Chutisa:

Guarda un porcentaje de tus ganancias o ingresos. No importa qué tan pequeño sea, será acumulable. Y sólo usa ese dinero para comprar activos que te generarán más ingresos para ti, o más ganancias para ti. Así que empieza con algo pequeño. Guárdalo. Ponlo por otro lado y usa ese dinero para comprar activos generativos. Si te gustan las cucharas de plata, guarda ese dinero y compra una cuchara de plata sólo cuando puedas comprar una cuchara de plata. Y eso en sí mismo será más generativo para ti y para tu vida.

ENTREVISTA CON BRENDON WATT

Tomado del programa de radio el Gozo de los Negocios "Saliendo de la deuda con gozo con Chutisa y Steve Bowman" transmitido el 29 de Agosto de 2016.

¿Cómo fuiste criado respecto al dinero? ¿Cómo era tu familia con respecto al dinero? ¿Hablaban al respecto, no hablaban al respecto, estaba escondido, no estaba escondido, tenían, no tenían? ¿Cómo fue esto para ti?

Recuerdo que al crecer solía preguntarle a mis padres "Así que ¿cuánto costó esto?" y ellos respondían "eso no es de tu incumbencia." Y después volvía a preguntar "¿Cuánto costó esto?" Cualquier cosa que yo preguntara con respecto al dinero, su respuesta cada vez era "No es de tu incumbencia. No necesitas saber nada de eso." Así que mientras crecía, deduje que el dinero era, ya sabes, algo que, mejor tendrías que evitar, algo que era inexistente, y en mis años de joven adulto, era algo que estaba muy presente. Recuerdo recibir cuentas por pagar de las compañías eléctricas, o de telefonía, o quien fuera, y no abría el correo, porque suponía que si no abría el correo, entonces no podía ver que tenía una deuda. Así que simplemente podía evitarla. O, si un número privado me llamaba a mi celular, si no lo respondía, entonces obviamente no podía deber dinero, porque no sabía nada al respecto. Así que lo evitaba, y lo evitaba, y lo evitaba, hasta que llegó un punto en que debía tanto, tenía tanta deuda, que realmente tuve que voltear a verlo.

¿Me podrías decir que creó eso para ti? ¿De qué estás consciente ahora que en ese momento no lo estabas?

Me acuerdo que una vez estaba compartiendo un apartamento con un amigo mío. El no estaba en la casa y los recibos de luz tendrían que haber estado llegando, pero obviamente yo no abría la correspondencia y nos suspendieron el servicio de luz, así que puse una extensión de luz desde una toma que estaba fuera del apartamento, porque era un conjunto de apartamentos, y tenía tomas de luz independientes de los pisos. Así que lo conecté a una toma y conecté todo ahí. No pensé que fuera un problema, sólo pensé "Genial, ya tengo luz de nuevo." Y él regresó de su viaje y me preguntó "¿Qué estás haciendo?" y sólo le respondí "Bueno, nos cortaron el servicio de luz y no tenía dinero para pagar el recibo." Y yo pensaba que eso era completamente normal. Era como que, había crecido con pobreza y la pobreza era algo real para mi. No era que estuviera mal, no estaba ni bien ni mal, era sólo "No tengo nada de dinero así que, ¿qué otra cosa hubiera podido hacer? Claro que iba a conectar una extensión desde afuera." Pero así es como eran las cosas para mi.

Así que te pusiste creativo.

Si. Bueno, necesitaba tener luz. Requería que el refrigerador funcionara de alguna forma y prender las luces. Pero así es como eran las cosas para mi. Ni siquiera notaba que tenía deuda, no tenía educación con respecto al dinero. La deuda ni siquiera era algo relevante para mi. Sólo era como "No tengo dinero." Pero me acuerdo cuando, Simone y yo nos mudamos juntos a nuestra primera casa y le dije "Ah por cierto, tengo una deuda de $200,000 en impuestos." Y ella respondió:"¿Qué?" y me dijo "Bueno, eso es algo importante" y yo le dije "¿En serio? ¿es importante que yo tenga deuda?" Pero de nuevo, no me daba cuenta que tener deuda fuera una cosa mala, o relevante; sólo era dinero y el dinero no quería decir nada para mi. Nunca me educaron al respecto así que, no tenía respeto por él.

Si, me acuerdo haber tenido una conversación contigo y yo decía "Compramos una casa juntos, estamos viviendo juntos ¿eso no es algo que le dices a alguien antes de que te vayas a vivir con alguien? Que tienes tanta deuda" Y respondiste algo como "Oh." Lo trataste de forma tan casual. Y si, nos reímos de ello.

Si, pero eso es lo que era el dinero para mi; era "Ah, me olvidé al respecto." Aprendí a evitarlo tan bien, que incluso lo escondía de mí de tal forma que pocas personas podían hacerlo ¡yo era bueno en ello!

Una de las cosas que me dijiste hace un tiempo es que, mientras crecías, las personas alrededor de ti peleaban por el dinero. Recuerdo que me dijiste que nunca quisiste tener dinero, no querías tener nada que ver con él, porque de alguna forma, para ti, equivalía a cierto nivel de abuso y violencia. ¿Puedes hablar un poco al respecto?

Si, exacto. Sabes, veo eso para muchas personas. En relaciones por ejemplo, si alguien crece con relaciones abusivas, ya sea que se quedan con una relación abusiva para que puedan tratar de resolverlo y hacerlo mejor que lo hicieron sus padres, o digamos con el dinero, por ejemplo, si el dinero era una razón por la cual los padres peleaban ¿entonces por qué desearías tenerlo? Sabes, porque para mí, intenté lo más posible hacer que mis papás fueran felices. Siempre estaba en la pregunta de qué podría hacer para hacerlos felices. Y siempre estaban peleando por el tiempo, así que obviamente no podía hacer nada respecto al dinero para hacerlos felices, pero no era algo cognitivo. Era algo que yo había decidido, algo parecido a "Bueno si así es como se siente el dinero ¿porqué querría tenerlo?"

También mencionaste la felicidad. Cuando eras niño y estabas creciendo, ¿La felicidad era equiparable al dinero, el dinero era igual a la felicidad? ¿O era simplemente irrelevante? ¿Cómo funciona eso?

Bueno, para mí, la felicidad no tenía nada que ver con el dinero. La forma en que yo definía lo que era la felicidad, era estar haciendo lo que quería, o hacer algo que a mi me hiciera feliz. Qué niños ves que estén creando su vida basados en el dinero; ¿crear su felicidad basada en el dinero? No dicen "Gané $10 hoy, así que soy feliz." Dicen "Tuve un gran día hoy, así que soy feliz." Pero como adultos, parece que decimos "No gané nada de dinero hoy, así que soy estúpido" o "tuve un día de mierda", lo que sea que eso es. "No puedo ser feliz por no tener dinero." ¿Así que cuántas personas han decidido que el dinero es igual a felicidad? Porque no es así. Es decir, yo pensé eso. Una vez más, en mis años de adulto joven, pensaba "Si pudiera hacer más dinero, podría ser más feliz" pero me di cuenta que cuando empecé a hacer dinero que eso era irrelevante. La felicidad es una elección que necesitaba hacer y no tenía nada que ver con el dinero, en lo absoluto.

¿Hay algún momento en particular en tu vida que pudieras decir que inició esa toma de consciencia?

Bueno, es decir, te conocí a ti y conocí a Gary y a Dain y conocí a muchos otros amigos cercanos que ahora tengo, y muchos de ellos han creado mucho dinero, y no es que eso haya creado felicidad para ellos, o para mí ahora, es acerca de las opciones que te da. Por ejemplo para nosotros, me encanta viajar en clase ejecutiva y me encanta usar ropa linda y me encanta comer comida rica, y me gustan todas esas cosas, me hace feliz y también pone feliz a mi cuerpo, pero también es una elección que yo tengo que hacer para tener eso. No es sólo, bueno si tuviera $1000 en este momento sería más feliz. Porque, si tú me dieras $1000 dólares ahora, no crearía felicidad. Crearía "Oh, tengo $1000 ahora. Fantástico."

Mencionaste la elección. Ese dinero te da más elección. Por ejemplo, viajas en clase económica, viajas en clase ejecutiva, o...

Bueno ¿Qué es lo que te va a hacer más feliz? ¿Clase económica o ejecutiva?

¿Qué es lo que va a hacer más feliz a tu cuerpo? ¡Definitivamente clase ejecutiva o primera clase!

O jet privado.

O jet privado, que si hemos volado en algunos jets privados en los últimos meses; lo cual ha sido muy divertido. Así que estamos hablando de la elección. ¿Realmente sentiste que tenías elección al crecer con respecto al dinero, o no elección? ¿Cómo fue eso para ti?

Para empezar, no sabía que era la elección. Para mi al crecer, la elección era ver lo que los demás estaban eligiendo y pensar "Ok ¿Es esto lo que tendría que elegir? ¿Es esto lo que tendría que elegir? ¿Es esto lo que tendría que elegir?" No "¿Qué puedo elegir y qué elecciones tengo ahora disponibles para mi en este momento?" Nunca se trató de eso. Era ver qué es lo que podía elegir por alguien más, o en contra de alguien más. Así que, aprender respecto a la elección fue probablemente uno de los primeros pasos para poder crear una realidad diferente con el dinero.

Y también con el tema de la deuda. Tuve que verlo y decir "Ok, estoy endeudado. Esto no se va a desaparecer." Pasé los últimos 30 o 40 años huyendo de esto. Ahora estoy en el marco de la puerta y están tocando. Y siguen tocando. Y siguen tocando. Necesito abrir la puerta y necesito voltear a ver esto. Y lo hice; y eso fue sólo hace dos años. Hace dos años me empecé a dar cuenta de cuánta deuda había acumulado y "Ahora, ok ¿Qué elecciones necesito tomar para salir de esto?"

¿Cómo fue la primera vez que tomaste responsabilidad de tu realidad financiera y que sabías que eras tú el que tenía que hacer algo diferente, que eras tú el que tenía que tomar algunas elecciones?

Fui afortunado en tener muchos buenos amigos cerca de mí para poder consultar cosas y decir "Aquí es donde estoy parado:" Pero también me rodeé de personas que tenían dinero; así que me eduqué a mí mismo. Pensé "Si voy a salir de esta…" lo primero que surgió fue, "Voy a necesitar educarme respecto al dinero." Así que para mí fue pasar tiempo con personas que sabían de dinero. Que podía ser, quizá, ver el canal de finanzas por la televisión. Podría ser leer cualquier cosa que tuviera que ver con personas que realmente han creado una educación respecto al dinero, y que están educados en cuanto a dinero. Y sólo me estaba educando a mí mismo, y después consideraba "Si necesito salir de la deuda, necesito hacer esto, esto, esto y esto. ¿Cuáles son mis elecciones? ¿Qué es lo que necesito elegir aquí?" Y después "¿Cuál es la que se siente más ligero?" E ir por ello. Y lo hice, y eso fue hace un par de años y ha cambiado por completo. Es decir, ahora no tengo ninguna deuda, aparte de las hipotecas y las cosas que me están generando dinero.

Háblame de la diferencia entre cuando recién empezaste a ir al contador y ahora. Nunca te sentías genial cuando salías y ahora te encanta tener juntas financieras o juntas de planeación de impuestos con nuestro contador. ¿Cuál es la diferencia en la creación?

Bueno, la diferencia es que ya no evito el dinero. Si mantuviera el punto de vista que necesito evitar la deuda y evitar el dinero ¿entonces cómo podía hablar con un contador? No es tan fácil hablar con un contador cuando tienes el punto de vista que el dinero apesta y, para mi, era superar eso y cambiar el punto de vista que tenía alrededor del dinero. Ahora cuando nos reunimos con nuestro contador yo pregunto "¿Ahora qué vamos a hacer? ¿Qué podemos hacer con esto? ¿Qué podemos hacer con esto? ¿Y ahora cómo ponemos esto acá? ¿Y cómo ahorramos impuestos aquí?" Simplemente es emocionante, porque la creación de nuevo, es emocionante y no es acerca de crear más deuda. Ahora es acerca de crear un futuro y abundancia.

Entonces ¿Cómo cambiaste tu punto de vista Brendon? Nos puedes dar, ¿tres herramientas o preguntas?

Mi herramienta número uno sería la cuenta del 10%. Directamente. Número uno. Si puedes hacer eso, saldrás de la deuda. Y, la razón de ello es, si puedes guardar el 10% de todo lo que ganes, de forma directa; si ganas mil dólares por semana antes de que vayas a pagar tus cuentas por pagar o lo que sea, guarda $100 en una cuenta diferente de banco, o guarda el efectivo en tu cajón o tu caja fuerte o lo que sea, y no lo toques. Si ganas $1000 a la semana, y esos son $100 en un periodo de 3 años ¿Cuánto dinero tendrías? Tendrás $15,600. Así que si tienes $15,600 en una cuenta separada ¿Sentirás que tienes dinero o que no tienes dinero? ¿Sentirás que puedes crear dinero o no crear dinero? Para mi, lo hice probablemente cinco veces, y llegaba a $2,000 o $3,000 y lo gastaba. Y después te dije a ti Simone "Esto no está funcionando. Realmente quiero hacer esto. Realmente quiero cambiar mi situación con el dinero." Pero esa también fue la demanda que hice. "¿Me puedes guardar este dinero? ¿Puedes guardar mi 10%?"

Y tú dijiste "No me lo des de regreso, aunque te lo pida."

Y creo que sí te lo pedí un par de veces.

Así fue, lo hiciste. Y yo dije "No." Y tú dijiste "¿Qué?

Fue como "¡Rayos!" Eso fue probablemente hace dos o tres años y no lo he tocado desde entonces. Así que ha crecido y crecido y crecido. Y ahora, tengo cierta cantidad de dinero en el banco, así que no siento que no tenga dinero.

¿Te puedo preguntar cuál fue la cantidad de dinero que tú requeriste tener en tu cuenta de 10% antes de sentir que si tenías dinero?

Creo que al principio eran $10,000. Y después llegué a ese monto y subió a $30,000. Y después subió a $50,000. Pero una vez que llegas a cierta cantidad es como "Oh wow. Tengo dinero. ¿Y ahora qué más?" Así que esa sería la primera. Y ese sería mi consejo número uno para salir de la deuda. Lo siguiente sería anotar tus gastos; todo. Es decir, nosotros hacemos el nuestro cada ciertos meses, y registramos los regalos de navidad ahí; una cuestión mensual. Así que sabemos que cuando llega Navidad, quizá gastaremos $1000, $2000, $3000 en regalos de Navidad o en la cena de Navidad o que venga familia a quedarse con nosotros, sabes, eso es un gasto.

Recuerdo que un año gastamos $8000 en Navidad. Así que en vez de escribir "Oh, $8000 en Navidad" lo dividimos en 12…

Y lo pusimos en nuestros gastos mensuales.

¿Puedes decirnos más de cómo haces tus gastos mensuales?

Ok, si eres de la vieja escuela, escríbelo en un pedazo de papel. Si eres de la nueva escuela, usa una hoja de Excel; lo cual yo odio, porque no las puedo usar. Para Simone es oh ¡puedo copiar y pegar como nadie más! Pero si tengo algo que agregar: "Automóvil: registro de automóvil, gasolina para automóvil" y demás "Casa: renta o hipoteca." Después tienes los gastos de el agua, está la electricidad, están los hijos, está la escuela, está la ropa. Y después estás tú. Tienes ropa, tienes lo que sea que sea, pero cada cosa en la que gastas dinero, tienes que anotarlo ahí, porque con eso es con lo que manejas tu vida. Eso es lo que requiere tu cuerpo. Así que escríbelo todo, como una cuestión mensual o semanal, lo que sea para ti, y después revísalo y, por ejemplo, si ganas $1000 a la semana y anotas tus gastos y son $1500 ¿realmente eso va a funcionar? Te faltan $500. En lugar de ponerte como loco y decir "Ok, tengo que reducir mis gastos. Necesito recortar mi estilo de vida. Necesito dejar de divertirme tanto. "Ya no puedo salir a cenar." Mira lo que puedes agregar a tu vida, en lugar de ver lo que puedes quitar.

La primera vez que hiciste eso ¿Te acuerdas de la cantidad y cómo fue eso para ti?

No me acuerdo. No tengo idea. Pero creo que fue… No podría decirte el monto, para ser honesto, pero no tendría que haber sido mucho. Me acuerdo que estaba definitivamente por encima de lo que estaba ganando; era mucho y por encima de lo que estaba ganando. Por lo tanto, de ahí venía la deuda, porque no tenía claridad de cuánto me costaba manejar mi vida. Usando los $1000 por ejemplo, si estaba ganando los $1000 a la semana y después revisaba mis gastos y éstos eran $2500, seguía creando cada vez más y más y más deuda, pero no entendía el por qué. Sólo pensaba que era mala administración, o el universo… Dios me odiaba "Dios ¿Por qué no me quieres?!" Pero no tenía educación al respecto, así que, cuando lo escribí dije "Ah. Por eso estoy entrando en deuda. Es porque no estoy generando suficiente dinero para pagar mis gastos." Así que eso creó absoluta claridad para mí. Dije "Ok, bien. Me faltan $1000 o $1500 a la semana con lo que estoy generando." Así que tengo opciones. Ya sea que elija quitar estas cosas que amo hacer o que elija preguntar, "Ok ¿Qué necesito agregar a mi vida hoy para que pueda crear más dinero? ¿Qué más puedo crear? ¿Qué otros flujos de dinero?"

¿Qué otras herramientas y preguntas usaste para cambiar tu deuda y generar dinero?

Las preguntas son cosas valiosas. Necesitas hacer preguntas, porque el universo proveerá. No es algo lineal. Para mi, yo crecí con la idea de que era una cosa lineal, pero cuando empecé a hacer preguntas me di cuenta que podía pedir algo y con el tiempo llegaba. Necesitas hacer lo que predicas hasta cierto punto. Pregunta "¿Qué tomaría para que esto se presente?" Y confía en ti mismo de que así será. Confía en el universo de que así será. Porque así fue para mi. Sabía que mi vida cambiaría y sabía que si hacía preguntas y empezaba a elegir cosas diferentes pasaría. No sabía cómo, pero sucedió.

También pregunta "¿Qué odio acerca del dinero?" "¿Qué amo de no tener dinero?" Quizá sea algo que te confronte porque dirás "Pero no odio el dinero. Lo amo, pero no tengo." Si no tienes, no lo amas. Y eso fue con lo que yo tuve que ser brutalmente honesto conmigo mismo y decir "Wow, aquí hay algo del dinero que no me gusta." Así que pregúntate eso a ti mismo y mantente dispuesto a verlo y reconocer "Wow. Ese es un punto de vista raro. ¿Qué tomaría para que yo pudiera cambiarlo?"

Otra pregunta que puedes hacer es "¿Qué es lo que no estoy dispuesto a hacer por dinero?" Porque muchas personas tienen cosas que hacen por dinero, esto y esto otro por dinero, pero si realmente deseas tener todo el dinero en el mundo y crear todo y tener todo lo que deseas, necesitas estar dispuesto a hacer todo lo que se requiera. Y esa fue una de las cosas que descubrí. Y otra cosa que observé fue que necesitaba tener esa intensidad de demanda en mi mundo. Si voy a cambiar mi vida tanto así, y tener dinero de esa forma, y voy a tener todo lo que deseo, realmente voy a tener que hacer lo que sea que se requiera. Una cosa que veo con muchas personas es que no están dispuestos a hacer lo que sea que se requiera.

Así que, hablando de hacer lo que sea que se requiera para crear algo... la primera vez que fuiste desde Australia hasta Italia, lo cual es un viaje bastante largo, fue en clase económica. Y ahora estás viajando en jet privado. ¿Pensaste que eso pudiera ser posible?

Siempre supe que eso era posible. Pero lo divertido es que el primer viaje que hice a Estados Unidos fue para una clase de 7 días en Costa Rica. Tenía $10,000 dólares en el banco, ahorrados. Y fue como "Voy a ir a Estados Unidos y voy a viajar en clase ejecutiva y voy a asistir a esta clase" y estaba buscando un boleto de clase ejecutiva y me iba a costar $6000 regresar de Estados Unidos; así que me alcanzaba para el boleto y para asistir a la clase. Y fue como "Genial." Y después lo contemplé y dije "¿Por qué elegiría eso? Tengo $10,000 ahora. Podría comprar un boleto en clase económica por $1000, asistir a la clase y tendría $5000 para hacer más o crear más, o tener un poco de más libertad con el dinero." Porque una cosa que sé del dinero es que, cuando lo tienes, tienes más libertad de crear más. Puedo crear más con ello que sin ello. Así que lo vi y dije "Wow. ¡Esto es una locura!" Tenía el loco punto de vista que si podía aparentar que tenía dinero, entonces generaría más dinero. O que si podía viajar con un boleto de clase ejecutiva, entonces podría actuar como si fuera rico durante un vuelo de 13 horas, o lo que fuera. Para mí, ver eso fue "Ok, necesito ser un poco más pragmático aquí con a) la manera en que veo el dinero y b) la forma en la que lo gasto."

Sin embargo tenías elección. Podrías haber elegido gastar todo tu dinero para hacer eso y sin embargo elegiste diferente.

Tomé muchos vuelos en clase económica cuando empecé. Quería viajar en clase ejecutiva, y caminaba por el avión y veía estas personas en clase ejecutiva y no decía "Oh, vean a esas personas; ya saben, personas ricas." Ese no era yo. Caminaba en el avión y decía "Yo voy a tener eso. Lo que sea que se requiera. ¿Qué es lo que se requiere para que yo tenga eso?" Iba y me sentaba en mi asiento. Disfrutaba del vuelo. Empecé a ahorrar millas en diferentes aerolíneas y recibía un ascenso de categoría. Y después recibía ascensos de categoría a clase ejecutiva y decía "¡Esto es fantástico!" Así es como me gustaría que fuera mi vida. ¿Qué tomaría para que así fuera?" En resumen, eso fue todo, lo demandé e hice preguntas y eso fue lo que se requirió para que empezara a presentarse.

¿Desde dónde ves que viene el dinero? ¿Y cómo ves que se esté presentando? ¿Qué es lo que ha cambiado para ti en los últimos años desde que cambiaste tu punto de vista respecto al dinero?

Bueno, el número uno es justo, como lo dijiste, cambiar tu punto de vista respecto al dinero. Porque tu punto de vista crea tu realidad. Directamente. Es todo. Si tienes el punto de vista de que ganas $20 por hora y trabajas 40 horas a la semana, eso es $800, y eso es todo lo que ganarás. Eso es todo. Si dices que eso es lo que tienes, eso es lo que haces, entonces eso es todo. Porque en cuanto llegas a concluir que ese es el dinero que generas, eso es lo que se presenta en tu vida. Pero si dices "Ok, genial. Tengo un trabajo de 40 horas. Gano $20 por hora. Esos son $800 a la semana. Eso es genial, ese es mi sustento cotidiano. Eso cubre mi renta, mi comida, mi lo que sea. Ahora ¿Qué más es posible? ¿Qué más puedo crear? ¿Qué otros flujos de dinero puedo tener?" Y de nuevo, es una pregunta. Todo el tiempo. Si empiezas a hacer preguntas, si lo primero que haces en la mañana es cambiar tu punto de vista en lugar de "tengo que ir a trabajar" funcionas desde el "Maravilloso. Voy a ir a trabajar ¿Qué más es posible?" Te garantizo, si eres sincero con esa pregunta y eres sincero respecto a los puntos de vista que te rodean "vas a crear tu vida de forma diferente y vas a crear tus flujos de dinero de forma diferente, no importa lo que tome." Te garantizo que en seis meses tendrás una realidad financiera diferente; ¡Te lo garantizo!

Cuando te conocí eras un azulejista, un tendero como le llamamos en Australia, y tenías un negocio con alguien. ¿Puedes hablar un poco más acerca de cómo empezaste a crear tantas líneas de negocio? Lo que veo que también creas en tu vida, es que no hay final para ello; tienes flujos de dinero sin fin. ¿Puedes hablar un poco más acerca de eso?

Bueno, lo primero fue que me di cuenta fue que solía trabajar mucho durante cinco días a la semana, o durante cinco y medio o seis días a la semana, y después era como "Ah bien, ya llegó el domingo" y me quedaba acostado viendo la televisión o tomando cerveza o lo que fuera. Recuerdo que aún hacía lo mismo cuando te conocí a ti, pero llegó a un punto en donde empecé a preguntarme si tenía lo suficiente en mi vida y si realmente estaba feliz con lo que estaba creando y me di cuenta que no era así. Estaba aburrido a más no poder. Así que empecé a ver "Ok ¿Qué más puedo agregar a mi vida?" Eso es lo que veo cada día: ¿Realmente deseo ir y...? Tenemos dinero. Podría ir a casa y literalmente relajarme. Podría ir a casa y ponerme a andar en la moto de agua y pasarla bien. ¿Funcionaría eso para mi? No, ni en un millón de años. Necesito hacer muchas cosas. Si estoy creando mi vida, soy feliz. Si estoy sentado, no lo estoy. Es fantástico andar en la moto de agua o lo que sea pero, no es suficiente para mi. Sabía que tener un trabajo de 9 a 5 no era suficiente para mi. Sabía que estar sentado tomando cerveza en domingo, no era suficiente para mi. No que no pueda funcionar para ti, pero si no lo hace, entonces necesitas considerarlo. La primera pregunta es "¿Qué más puedo agregar a mi vida?" Eso es lo que yo considero cada día. "¿Qué puedo agregar a mi vida hoy?" En lugar de, "Estoy demasiado ocupado" o "No puedo hacer nada más." Esa es una mentira. Avanza. Y cuando llegues al "Bueno, estoy muy ocupado," o "No quiero hacer esto" pregunta "¿Realmente es este mi punto de vista? ¿O es el de alguien más?"

Una cosa que hemos agregado a nuestras vidas es una cartera de acciones. ¿Cuál era tu punto de vista en un principio y que tuviste que cambiar para poder crear un portafolio exitoso, una muy exitosa cartera de acciones?

Bueno las acciones me entusiasman porque hay algo acerca de generar dinero así de rápidamente que me emociona muchísimo. Es decir, recuerdo haber entrado al TAB cuando tenía 11 o 12, que era un lugar de apuestas en Australia, en donde apuestas dinero en caballos. Mi papá me daba $1000 en efectivo y una lista de caballos a los que él quería que yo apostara el dinero. Yo iba y lo colocaba y regresaba a recoger lo que se había ganado. Bueno, podía ser que perdiera todo el dinero y se portaba como un abusivo hijo de puta o que me enviara a recoger 3 o 4 mil y decía "Oooh, eso fue fácil." Entonces surgió esto de que el hacer dinero rápido era divertido para mi. Y fue lo mismo con las acciones, "¿Wow, puedes hacer dinero así de rápido literalmente usando tu consciencia?" Y eso es lo que me gusta de las acciones, es como "Si compramos esto ¿me hará dinero? ¿Sí? ¿No? ¿Sí? ¿Sí? Ok, genial, comprémoslo."

Bueno, de hecho teníamos esta cartera de acciones que tuvo tan buenos resultados, que terminamos vendiendo muchas acciones y comprando una casa en el río en Noosa, Queensland; lo cual no es algo económico.

Compramos esta acción a precio muy bajo. Eran acciones de centavos y compramos muchas. Bueno de hecho compramos cuando estaban altas y cuando estaban bajas, pero compramos muchas cuando estaban bajas y recientemente subieron mucho, porque sabíamos que así sería. Seguimos comprando más y seguimos comprando más. Todos los decían "Están locos. Están locos. Están locos." Nuestros contadores nos lo decían. Nuestros amigos nos lo decían. Nuestra familia nos lo decía. "No lo hagan. Están poniendo todos los huevos en una canasta." ¿Qué hicimos? Seguimos comprando. ¿Porqué? Porque sabíamos que subiría. Así que mi punto es ¿Qué tal si siguieras con lo sabes que va a crear tu realidad financiera en lugar de en lo que te dicen los demás?

Así que, por ejemplo, vas con tu contador y ellos te dirá "Bueno, tendrías que hacer esto porque es seguro" o tendrías que hacer esto o esto otro. ¿Qué es lo que tú sabes acerca del dinero que nadie más sabe? O ¿Qué es lo que sabes respecto al dinero que no estás dispuesto a reconocer?" Y "Ok, ¿Qué es lo que requiero hacer para empezar con esto?" Es como "¡Maravilloso! Universo, me has hecho darme cuenta de lo que necesito saber acerca del dinero ¿Ahora qué?" Pregunta "¿Qué tomaría para que esto se presente?" "¿Qué necesito hacer?" "¿Con quién necesito hablar?" "¿Qué necesito instituir para que esto fructifique?" Necesitas hacer estas demandas de ti mismo. Eso es lo que necesitarás hacer si quieres que tu vida cambie.

Una de las cosas que Access me ha enseñado es que yo sé cosas. No es que piense al respecto para saberlo. No leo un libro para saber de ello. Simplemente lo sé. Así que, si estoy haciendo preguntas y pregunto "Ok ¿Qué es lo que yo se de esto?" y algo me surge, entonces digo, "Ok, bien" y sigo esa dirección. En lugar de "Bueno ella dijo que hiciera esto, así que lo voy a hacer. Y después me dijeron que hiciera esto otro así que lo haré." No. Hazle preguntas a las personas para recibir información, no respuestas.

Brendon estoy muy muy agradecida de que nos hayas acompañado hoy. ¿Hay algo más que quieras agregar antes de que terminemos?

Otras cosa con la que los quiero dejar es: el dinero sigue al gozo. El gozo no sigue al dinero. Si estás dispuesto a tener gozo en tu vida respecto a todo, incluyendo el dinero, el dinero seguirá eso. Si hicieras una fiesta e invitas al dinero y después dijeras que no va a haber alcohol, no va a haber baile, no va a haber risas, no se va a permitir que la gente se divierta ¿Crees que el dinero va a querer ir a esa fiesta? Así que, qué tal si la fiesta a la que invitaras al dinero fuera de "Hey, vamos a divertirnos juntos."

Si el dinero fuera una energía y estuvieras dispuesto a invitarlo a la diversión ¿Tendrías más en tu vida o menos?

ENTREVISTA CON GARY DOUGLAS

Tomado del programa de radio el Gozo de los Negocios "Saliendo de la deuda con gozo con Chutisa y Steve Bowman" transmitido 5 de Septiembre de 2016.

Gary, eres una de las personas más inspiradoras con la que me he encontrado por la forma en la que ves el dinero, el punto de vista que has tenido del dinero, el punto de vista que ahora tienes del dinero, el espacio que siempre estás dispuesto a cambiar y, por supuesto, eres el fundador de Access Consciousness. Así que, todas las herramientas de las que hablamos vienen de ti, y tu me ayudaste no sólo a mí, sino a cientos de miles de personas para poder cambiar su punto de vista respecto al dinero. Así que muchas gracias por ello.

Gracias. Y yo tuve que cambiar mis puntos de vista acerca del dinero para poder entenderlo.

¿Nos puedes hablar un poco acerca de cómo creciste? ¿Cómo era tu familia? ¿Tenían dinero, fuiste educado? ¿Cómo fue eso para ti?

Crecí en la época de la serie de "Déjalo a Beaver"; y eso no era 'ten mucho sexo'. Eso era, puedes hablar de muchas cosas, pero no puedes hacer mucho. Crecí en una familia de clase media, media, media, media, media, media, media, en donde, cuando los muebles se desgastaban, comprabas uno nuevo para reemplazarlo y ponerlo exactamente en el mismo lugar y nunca nada cambiaba; siempre era lo mismo. Usabas las alfombras hasta que se les notaban las líneas y entonces la cambiabas por una nueva. Y no podías voltearlas o cambiarlas o hacer nada con ellas; todo iba al mismo lugar y se quedaba en el mismo lugar. Y, cuando estaba creciendo, mi madre me dijo en algún momento, lo dijo frente a mí y había alguien más también "No creo que Gary llegue a tener dinero porque él siempre se lo regalará a sus amigos." Porque me daban algo de dinero e iba a comprarles a mis amigos un pedazo de pay y una coca-cola y así; en esos días, todo era bastante económico.

Podía comprar un cómic por 5 centavos. Así que eso te da una idea de la diferencia de las cosas. Así que con 50 centavos era mucho dinero en esos días. Me daban 50 centavos e iba a gastarlos en comprar un pedazo de pay y una coca cola para mis amigos, y también para mi, y solo estaba interesado en pasarla bien. Y mi mamá decía "nunca tendrás más dinero si no te pones serio y sigues gastando dinero en otras personas." Y yo dije "¡Pero es divertido!"

¿Qué te estaba tratando de enseñar en ese momento? ¿Era algo respecto a ahorrar dinero?

Siempre se trataba de ahorrar para la época de vacas flacas, pero ella y mi padre crecieron durante la depresión, así que desde su punto de vista, no tienes que gastar dinero, tienes que cuidar del dinero que tienes, y siempre tienes que reducir gastos lo más posible, y nunca vas más allá de cualquier límite ni nada; nunca puedes elegir algo más grandioso que eso. Lo cómico de esto es que mi padre apostaba de vez en cuando, así que en 1942 cuando yo nací, vivíamos en un lugar llamado Pacific Beach en San Diego, y justo al final del camino estaba un pequeño pueblo llamado La Hoyer; que ahora es una de las áreas más caras de San Diego. Mi papá tuvo la oportunidad de comprar una cuadra en lo que ahora es el centro de La Hoyer por $600, y si tenían esos $600 en sus ahorros pero mi madre no dejó que lo hiciera. Mi madre siempre decía "No, no. Tienes que esperar a que tengamos más dinero." Y siempre era de esperar, para cualquier cosa. Y ella creía que era necesario esperar antes de crear.

¿Cómo era una cena típica en la casa de los Douglas: se te permitía hablar acerca de dinero en la cena?

No, no. No podías hablar de dinero. ¡Eso es burdo! No hablas de dinero. Lo cómico de eso es que las personas que tienen dinero, su punto de vista es que "No puedes hablar de dinero porque es rudo, ¿cierto?" ¿Por qué es burdo si eres pobre y rudo si eres rico? No lo entiendo. Ninguno de los dos está bien. Era muy interesante para mí el ver a mi familia hacer esto. Mi madre nos preparaba ensaladas... y ponía una hoja de lechuga en el fondo del plato y después ponía una pieza circular de piña, pero le cortaba una pequeña parte y la juntaba y le ponía una porción de mayonesa y trituraba algo de queso encima de ello, y esa era nuestra ensalada. Y compraba una de esas pequeñas latas que tenían tres piezas de pila y hacía cuatro ensaladas al cortar una parte de las otras tres, para asegurar que tuviéramos cuatro ensaladas, para que tuviéramos algo que comer. Seguía diciendo "¿Por qué? Y me daba de comer cosas como brócoli y yo le decía "Pero no lo quiero." y ella decía "Hay niños chinos que sufren hambruna. Te comes cada bocado." Y yo decía "¿No se los puedo enviar a ellos?" ¡Me dieron unas nalgadas por ello!

Cuando estabas creciendo y vivías rodeado por esta energía de "mantenerte seguro" ... dijiste que tus padres vivieron la depresión; con todo esto alrededor tuyo ¿Hubo algún lugar en el que te compraste su punto de vista? ¿O siempre supiste que eras diferente? ¿Cómo fue eso para ti?

Una de las cosas que siempre fue muy interesante es que durante la navidad, íbamos a la sección donde vivían los ricos y veíamos sus bellos árboles de navidad; porque tenían ventanas de foto y cosas así, y tenían estos árboles maravillosos. E íbamos a dar la vuelta por ahí y los veíamos. Hoy estarías viendo esas luces que las personas ponen en sus casas. Dirías "Wow, es maravilloso que puedan hacer eso." Y yo decía "¿Podemos tener un árbol como ese? ¿Podemos tener una casa como esa?" y ellos decían "No cariño. De cualquier forma esas personas ricas no son felices." Y yo pensaba en mi cabeza "Puedo intentarlo?"

¿Así que el consenso general cuando creciste es que la felicidad no era acerca de tener dinero?

Ah, el dinero no traía la felicidad. Sabes, mi madre decía "El dinero no te compra la felicidad." Y yo preguntaba "¿Qué es lo que compra?" Me gustaría descubrir qué es lo que compra, y ella decía "No puedes costearlo. No puedes costearlo." Todo era referente a no poder costearlo. No se trataba de lo que sí podíamos pagar. Y por entretenimiento, porque mis padres eran tan pobres, el entretenimiento era ir a ver las casas de los ricos los sábados y domingos; casas abiertas. Entraba en una casa y decía "Oh, me encanta esta casa. ¿Podemos tener esta?" "No." "Me encanta esta casa. ¿Podemos tener esta...? "No." Me encanta esta..." "No." ¿Por qué estamos viendo estas cosas? Y mi punto de vista se volvió ¿Para qué ver lo que no puedes tener, a menos de que encuentres una forma de poder tenerlo?

¿Naciste con tu propio punto de vista respecto al dinero? ¿Cuándo empezaste a cambiar tu punto de vista respecto al dinero y saber que tú eras diferente?

Bueno, número uno, me di cuenta que no quería vivir así. Tenía una tía rica que vivía en Santa Bárbara y solíamos ir a visitarla. Tenía una buena vajilla y tenía vasos de cristal y tenía cubiertos de plata. Y todo esto era normal para ella. En lugar de ir a la tienda a comprar pan dulce que costaba $1.79 ella iba a la panadería y compraba 6 de $6. Y yo decía "Oh por Dios. ¡Quiero vivir así!" Ella escuchaba la ópera y vivía de forma tan elegante. Yo demandé "¿Sabes qué? Quiero tener este estilo de vida. Esa es la forma en la que quiero vivir. Quiero tener música bella. Quiero tener bellos lugares en los cuales vivir. Quiero tener cosas lindas sobre las cuales comer. Quiero tener muebles hermosos." En mi familia, si algo no era utilitario, entonces no lo necesitábamos.

Siempre me sorprendía por las cosas en las que mis padres no estaban dispuestos a gastar dinero. En mis años más jóvenes, solíamos tener películas de presentación doble, me enviaban al cine por 25 centavos y eso era como contratar una nana, para que así pudieran pasar un buen tiempo sin mi. Me enviaban con mi hermana pequeña, por mi cuenta, y era una doble cartelera del viejo oeste. Y los dos podíamos quedarnos con una pequeña bolsa de palomitas y una coca-cola pequeña, porque eso era todo lo que podíamos pagar. Cuando había golosinas especiales, nos daban 10 centavos más, para que pudiéramos comprar unas pastillas de menta, una vez al mes.

Cuando tu madre menciona que nunca tendrías dinero porque lo gastabas en tus amigos, yo entendí que (no era tanto respecto a gastar el dinero) era más acerca de la generosidad de espíritu desde la cual funcionas... siempre regalas todo lo que puedes. No tienes límite con ello. ¿Qué tan importante ves que sea la generosidad de espíritu para que alguien cree más dinero en sus vidas? ¿Qué efecto tiene esto?

Una de las cosas que noté es, cuando les compraba a mis amigos pay y coca-cola, probablemente por la azúcar, ellos estaban más contentos, número uno, pero número dos, siempre me daban cosas que tenían en sus casas que pensaban que me podrían gustar. En ese momento estaba fascinado por las revistas de historietas. Así que siempre me daban las historietas que ellos ya habían leído. Así que no tenía que gastar dinero en las historietas, y terminaba teniendo más historietas de lo que hubiera podido tener si me gastaba todo mi dinero en lugar de comprar un pay.

Gary, una de las cosas que hablas en Access es la diferencia entre dar y tomar y regalar y recibir. ¿Puedes hablar un poco más de eso?

Me di cuenta que, si realmente regalas algo y no tienes ninguna expectativa de nada, entonces las cosas vienen a ti desde los lugares raros de otras formas. Una de las cosas que noté cuando les daba a mis amigos el pay es que obtenía cosas de ellos pero también recibía regalos de otras personas. Es decir, tenía vecinos, y seguramente era porque yo era lindo, que sí lo era, pero los vecinos me daban regalos especiales todo el tiempo. Hacía cosas para ellos, por ejemplo si entregaban una correspondencia a mi casa en lugar a la de ellos, yo se los llevaba, cosas así. Pero siempre me estaban dando pequeños regalos porque yo era muy generoso con mi tiempo, mi energía y mi sonrisa. Eso era todo lo que necesitaba dar en esos días. Como niño pequeño ¿Sabes? Tenía 8, 9 años. No tienes mucho que dar salvo eso. Así que si dabas lo que dabas porque era lo que podías dar, las personas te daban más de lo que obtendrías al no hacerlo, y me empecé a dar cuenta que había otras cosas aparte del punto de vista que tenían mis padres.

La única vez que veía a mi padre preocuparse, que siempre era generoso, era cuando él veía a alguien que no tenía suficiente para comer. Siempre les daba comida, a pesar de que funcionábamos como si no tuviéramos comida. Pero en nuestra casa, siempre había postre. Siempre había carne, papas y una ensalada y postre; y siempre era así en cada comida. Es que mi madre creció en una granja, así que esa era la perspectiva de su vida.

Mi padre había crecido con su padre dejando a su madre, y lo que hizo fue salir a comprar una pistola, encontró la forma de comprar una .22 y tomó esa pistola y salía a dispararle a los conejos para alimentar a la familia entera. Y su padre había dejado a su esposa con 6 hijos a valerse por sí mismos, así que él odiaba a su padre. El salía y trabajaba a morir, básicamente para que a nosotros no nos faltara comida o que no tuviéramos que sufrir. Y yo pensaba que era bastante maravilloso porque mi tío había ido a la universidad, mi tía había ido a la universidad, pero mi padre nunca lo hizo. Pero él estaba tan ocupado alimentando a su familia que él nunca estudió. Estaba exhausto al final del día. Él fue un gran atleta y le iba muy bien en ese tipo de cosas, pero nunca aprendió a crear dinero. Lo único que obtuvo de su padre fue la consciencia es que tienes que cuidar de tu familia y tienes que alimentar a la gente. Y esa era la suma total de su punto de vista respecto al dinero.

Así que me quedé un poco con ese punto de vista y cuando tuve familia, eso es lo que más quería hacer. Pero también me di cuenta "Espera un momento, era más fácil crear más dinero al estar dispuesto a ser generoso." Y vi a mi padre ser generoso con las personas que no tenía nada, y los veía a ellos regresar con un regalo de gentileza y cariño y amor que no veía en otros lugares. Mis padres fueron notables. Tengo mucha satisfacción por el hecho de que los tuve a ellos como padres. Mi madre fue gentil. Mi padre fue gentil. No nos hicieron cosas terribles. No nos golpeaban; creo que me dieron nalgadas 3 veces en mi vida. Intentaron cuidarnos e intentaron hacer lo mejor que podían para nosotros y querían que tuviéramos una vida buena. Y, de eso es de lo que me di cuenta, que pocas personas reconocen de sus padres. Ven lo que los padres no les dieron. Y no ven lo que les dieron. Y realmente entendí que mis padres estaban haciendo lo mejor que podían con lo que tenían. Así que cuando fui a casa de mi tía, dije "Quiero vivir así. No importa lo que tome, voy a vivir así."

Una de las cosas que veo continuamente es que las personas se compran el punto de vista que sus padres, abuelos, y las personas que los criaron tenían respecto al dinero, en lugar de hacer algunas preguntas acerca de cuál podría ser su realidad financiera. Puedo ver cómo incorporaste lo que ellos te regalaron y sin embargo creaste tu propio punto de vista; de cualquier forma creaste tu propia perspectiva respecto al dinero.

Bueno, empecé a hacer preguntas tempranamente. "¿Cómo es que yo no puedo tener eso?" "¿Por qué? ¿Por qué? ¿Por qué?" Y mi madre solía decir "¿Por favor puedes dejar de hacer preguntas?" "Ok. ¿Por qué no podemos....?" Podía estar callado por más o menos 10 segundos y medio.

No ha cambiado nada. Todavía soy así. Siempre estoy haciendo preguntas. Y siempre estaba haciendo preguntas en ese momento, porque veía las cosas y decía "¿Por qué es de esta forma?" Veía que mis amigos decían "Bueno, no puedes tener esto. No puedes hacer esto." Y yo decía "¿Por qué?" y ellos respondían "Bueno, pues porque no puedes." Y yo preguntaba "¿Por qué no?" Lo único que tienes que hacer es esto; lo he hecho." Y ellos respondían "Sí, pero no puedes hacer eso. "¿Por qué no?" Lo cuestionaba. Crecí en la época en donde cuestionar la autoridad era un reto. Pero había crecido en una época aún más grande en la que cuestionaba todo.

¿Cuáles son algunas herramientas pragmáticas, prácticas que le pudieras dar a las personas; alguna pregunta, herramientas o preguntas favoritas para que empiecen a crear su propia perspectiva del dinero?

Bueno una de las primeras que surgió para mi cuando era niño fue "Ok. ¿Qué es lo que voy a tener que hacer para obtener el dinero que requiero?" Empecé a hacer esa pregunta. Lo único que puedo pensar que mis papás intentaron inculcarme fue una ética de trabajo, porque los dos trabajaban constantemente, entonces ellos tenían que tenerlo. Así que yo dije "¿Qué puedo hacer para generar dinero?" y fue como, "Ok. Puedes podar el pasto." Y yo no era muy grande, era un niño delgado, escuálido y llegaba con los vecinos y les preguntaba "¿Puedo podar su pasto?" y me respondían "Claro. ¿Cuánto me vas a cobrar?" "Lo que sea que me vayas a pagar." Y algunos me pagaban un dólar y otros me pagaban 50 centavos. Y yo decía "Súper, tengo 50 centavos. Súper, tengo un dólar." Nunca estaba viendo cuánto se suponía que tenía que tener. No tenía una realidad llena de conclusiones como la que la mayoría de las personas tienen: tendría que haber tenido más, tendrían que haberme dado más, necesito más. Decía "Ok, ya tengo esto. ¿Ahora qué?"

¿Vienes del espacio de gratitud?

Si. Estaba agradecido por el hecho de que tenía cosas, y notaba la gratitud cuando le daba a mis amigos pay; había tanta gratitud en ellos que contribuía con energía a mi y a mi cuerpo que no sentía en otros momentos. Y, no sentía que cuando veía a personas trabajando y haciendo cosas, y realmente quisiera eso.

La otra cosa de la cual hablas, de la que me encantaría saber lo que piensas es usar el dinero para expandir la realidad de las personas. ¿Cuándo tomaste consciencia de eso?

Bueno, eso fue mucho después en mi vida porque literalmente había pasado por el periodo de "Ah si, soy hippy y no tengo dinero," a "Ok, voy a ser un narcotraficante y voy a tener dinero." Así que cultivé marihuana e hice mucho dinero pero eso tampoco me hizo feliz. Noté que las personas que conocía que habían tomado muchas drogas terminaban en la cárcel y dije "Sabes qué, yo no iré ahí. Así que creo que voy a dejar de hacer esto." Había trabajado para diferentes personas e hice todo lo que podía para hacerlo bien, para hacer todo de forma correcta y cuando yo era generoso de forma rara, algo magnífico pasaba en mi vida. Yo recuerdo que estaba en mis veintes y fui a trabajar para esta escuela de jinetes y estaba cabalgando caballos, y había una mujer ahí que era tan rica como Dios, y tenía un caballo precioso purasangre que presumía, y ella era elegante y manejaba un automóvil muy lindo. Ganaba 5 dólares al día más alojamiento y comida. Así que ella estaba frente al establo de su caballo sentada en una caja llorando y le dije "¿Qué pasa?" "Estoy en bancarrota. No tengo dinero. No tengo nada de dinero, no sé qué es lo que voy a hacer." Y le dije "Bueno ¿te puedo llevar a cenar?" Así que fuimos a cenar, y estamos sentados en la cena y la comida cuesta $25; cinco días de trabajo para mi. Y ella se levantó para ir al sanitario y su chequera se salió de su bolsa hacia el piso, estaba abierta y muestra que tiene $47,000 en su cuenta de banco.

Yo dije "¡Mierda! Espera un momento. Su idea de estar en bancarrota es si ella tiene menos de $50,000." Después de un rato tuvimos una conversación y le dije "Vi tu chequera. ¿Qué te hace pensar que estás en bancarrota?" "Siempre que tengo menos de $50,000 sé que estoy en bancarrota. Tengo que tener más de $50,000 si no estoy en bancarrota." Yo dije "Bueno, eso es genial." Y me di cuenta de que, para mi, si tenía menos $100, estaba en bancarrota.

Así que todos tienen una perspectiva diferente.

Si.

El libro que escribiste con el Dr. Dain Heer "El dinero no es el problema, tú eres." todas esas herramientas en ese libro me sacaron de tener deuda, porque empecé a cambiar mis puntos de vista respecto al dinero. Una cosa que veo que es imperativa es que necesitas cambiar tu punto de vista. Necesitas cambiar el cómo ves al dinero, como eres con el dinero, y como te empiezas a educar respecto al dinero.

Esa fue la parte más importante. Ahí estaba con esta dama que tenía $47,000 y un caballo de $20,000 y yo apenas podía pagar por mis cosas y tenía que vivir en una habitación dentro de un club y ganaba $5 al día, pero estaba haciendo algo que amaba. Me di cuenta que ella estaba gastando mucho dinero haciendo lo que ella amaba. Yo estaba haciendo poco dinero haciendo lo que yo amaba. Dije "Ok entonces ¿qué tomaría para tener una realidad diferente?" Empecé a cuestionar eso: "¿Cómo sería tener una realidad diferente?" Quería ser como ella, en donde yo estuviera creando dinero para poder gastar mucho dinero y divertirme. Quiero divertirme, pero también quiero tener algo de dinero, y ahí es cuando las cosas empezaron a cambiar para mi." Cuestionaba "Ok, ¿sabes qué, esto tiene que cambiar." Y eso es lo que pienso que tienes que hacer, ver la situación y demanda "¡Ok suficiente! Esto tiene que cambiar." Y al tomar esa posición para ti mismo, porque eso es lo que es, una postura por ti mismo. Tan solo al tomar ese punto de vista; y eso es lo que tú hiciste, Simone, cuando dijiste "Suficiente. Voy a salir de esta deuda." Es como si tomaras esta postura y después el mundo empieza a ajustarse a lo que requieres. Es notable.

Te he escuchado cuando dices que el mundo empieza a ajustarse. Y es una de las cosas que te escuché decir al principio y dije "No tengo idea de qué estás hablando." Para los que nos están escuchando por primera vez, ¿puedes hablar más acerca de "el mundo empieza a ajustarse a sí mismo"?

Bueno, el Dr. Dain Heer y yo compramos un rancho recientemente. Fui a Japón y comí carne Kobe por primera vez y dije "Oh, tengo que tener más de esto. ¿Cómo puedo tener más de esto?" y alguien dijo que la única raza de esa res estaba en Japón. Y después descubrí que también los tenían en otros países como Australia, así que pregunté "¿Me pregunto si pudiera encontrar algunos de estos en Estados Unidos?" Así que le pedí a un amigo que buscara en línea y encontró un lugar en Estados Unidos donde podíamos encontrarlos y encontró siete reses para mi. Y yo dije "Wow, me encanta tener estas vacas. Son tan bonitas." Son hermosas vacas negras. Son amables y gentiles y simplemente son animales maravillosos; casi odiaría comerlos.

Le pedí a un hombre que fuera a comprar esas vacas. Cinco días después me llamó y dijo "Encontré siete de estas vacas" y acababa de comprar siete. "Siete vacas más por sólo $6500." Y dije "Eso es menos de $1000 por vaca. Me las quedo."

Lo que veo con eso Gary es que continuamente estás creando. No estás viendo realmente el tema de la riqueza o la abundancia, es el crear, estás viendo lo que podrías crear.

Si. Y pensé que en el peor escenario, puedo comer por 8 años. Tengo 8 años de res en pie…

Muchas personas no piensan que pueden tener riqueza, no piensan que pueden tener abundancia. Es decir, te he escuchado hablar de cuando tuviste que vivir en una habitación muy muy pequeña con tu hijo y no comían nada más que hojuelas de maíz.

No era una habitación, era un armario. Vivía en un armario, literalmente, en la casa de alguien con mi hijo durmiendo junto a mí en una colchoneta de espuma. Mi ropa estaba colgada en un extremo del armario y yo vivía del otro lado y no tenía dinero, lo único que podía comprar eran hojuelas de maíz y leche; porque de cualquier forma eso era lo único que mi hijo podía comer en ese tiempo. Estaba pagando $50 a la semana para vivir en el armario de una persona.

¿Y entonces qué tipos de demandas te exigiste?

Dije "¿Sabes qué? Suficiente. No voy a volver a vivir así, nunca más. No me importa lo que se requiera. Voy a generar dinero. Voy a obtener dinero." Justo después de eso, todo cambió. Siempre me habían gustado las antigüedades y había entrado a esta tienda de antigüedades a vender algo que tenía. Y dije "Wow, tu tienda tiene cosas maravillosas, pero te vendría muy bien reorganizarla." La mujer me miró y me dijo "¿Sabes de alguien que lo pueda hacer?" Y le respondí "Si. Yo." "¿Cuánto cobras?" "Ummmm, $25 por hora." Eso era mucho más de lo que yo estaba ganando en ese momento, y fue como ¿por qué no? Ella dijo "Te pagaré $35 si haces un buen trabajo." "Hecho." Así que fui y reorganicé su tienda y al día siguiente vendió cinco cosas que habían estado en su tienda por dos años y quienes las compraron fueron dos personas que habían estado en su tienda varias veces en esos dos años. Y dijeron "¿Eso es nuevo?" Y dijo "¡Si!" Y respondieron "Oh, creo que eso sería perfecto para mi casa." Lo que aprendí respecto a promocionar es que necesitas mover las cosas de lugar para que las personas lo vean de forma diferente. Porque la diferencia en la luz crea un diferente efecto en ellos. Y ve la vida de esta forma; "¿Qué es lo que tengo que mover en mi vida para crear más, para vender más, para crear más dinero, para tener mayores posibilidades en la vida?" Es realmente maravilloso ver que esto pase cuando finalmente empiezas a hacer esas preguntas de "¿Cómo puedo acomodar mi vida para que yo parezca diferente frente a diferentes personas que querrán comprar lo que yo tengo que ofrecer y escuchar lo que yo tengo que decir?"

Así que, de nuevo, es cambiar tu punto de vista respecto al dinero, continuamente. Y también, hacer lo que te guste. Porque a ti te encanta trabajar con antigüedades. Casi podrías haber hecho ese trabajo sin cobrar.

Bueno, ya lo había hecho de forma gratuita, por eso es que sabía que podía hacerlo.

Entonces a través de tu vida, has ganado diferentes cantidades de dinero. Veo a muchas personas decir "Oooh, ahora tengo una nueva casa, listo" y podía quitar eso de la lista. O "Tengo un automóvil" y quitaba eso de la lista, y parecía que dejaban de crear. ¿Qué es lo que les puedes decir a las personas o qué herramientas les puedes dar a las personas para que no tengan ese límite?

Lo principal es que tienes que ver si tienes una meta o un objetivo. Lo que descubrí hace mucho tiempo es que la palabra "meta" era una cárcel. Si tienes una meta y la cruzas y no lo reconoces, entonces lo que pasará es que te regresas para poder lograr cruzar la meta que piensas que no has cruzado. Así que dije "Espera un minuto. No voy a tener metas. Voy a tener objetivos." Así que planteaba un objetivo y en cuanto lo lograba siempre podía lanzar otra flecha y darle justo al clavo. Y para mi dije "Quiero poder cambiar constantemente." Cambiar es algo muy importante para mi vida y sin cambio, no hay creación. Si realmente quieres crear tu vida, empieza a cambiar.

Y con ese cambio, cuánto estás en ese espacio de cambio continuo, el dinero llega. La riqueza llega.

Yo sé, es raro.

¿Puedes darnos un ejemplo de cómo ves la diferencia entre riqueza y patrimonio?

El patrimonio es acumular esas cosas que otras personas compran por cierta cantidad de dinero. La riqueza es cuando tienes lo suficiente para gastar en cualquier cosa que quieras.

Si realmente quieres tener un patrimonio, te querrás rodear de cosas que valdrán más, sin importar qué. Si quieres riqueza, querrás tener lo suficiente para poder gastar en lo que quieres comprar y lo que has decidido que quieres. Todos los que conozco que han buscado la riqueza, compran todas estas cosas y de pronto ya no desean más, porque no están tratando de crear un patrimonio, están tratando de crear riqueza.

Una vez que reconoces "Espera un minuto, el patrimonio incluye cosas que son valiosas para otras personas. ¿Qué es valioso para otra persona y por lo cual pagaría? Y cuando tienes eso en tu vida, entonces en cualquier lugar que caminas, todo lo que haces es acerca de tu patrimonio en la vida, no de la riqueza de lo que puedes gastar.

Así que no es hacer la vida un asunto de dinero, es de lo que hemos estado hablando; ¿es generosidad de espíritu, la creatividad, la voluntad de recibir, la voluntad de regalar?

Y permitirte ser generoso contigo. Porque la mayoría de nosotros no somos generosos con nosotros mismos. Cuando te juzgas a ti mismo, no está siendo generoso contigo. Cuando juzgas estar equivocado en algún aspecto, no estás siendo generoso contigo. Querrás ser generoso contigo. Y no se trata acerca de cuánto dinero gastas en ti mismo; es acerca de qué tan bien cuidas de ti.

La mayoría de nosotros cree tener un problema con algo, pero no es así. Es lo que inventamos para poder mantenernos haciendo lo que nos está limitando y manteniéndonos en el lugar al que pertenecemos. Y esa es una de las cosas de las que me di cuenta acerca de mi familia, ellos querían mantenerse en el mismo lugar. Tenían una pequeña casa y todo lo demás era controlable. Siempre se trataba del control de las cosas. Y yo quería estar un poco fuera de control. Quería estar haciendo algo diferente. Así que empecé a crear diferencias desde temprano, y fue un cambio fantástico en mi vida el darme cuenta que podía tener algo diferente y que podía elegir algo diferente. Y lo hice.

Y entendí que tenías que ver las cosas de diferente forma, y una de las cosas que tienes que hacer es ver "¿Qué está bien de esto y qué está bien de mí que no estoy viendo?"

Por ejemplo, el otro día cuando estábamos montando a caballo y alguien corrió por detrás de tu caballo y tu caballo se empezó a asustar y hoy te pregunté ¿te puedo dar algo de información respecto a lo que pasó ahí? Y te dije "Mira tienes que entender que los caballos tienen el punto de vista de que cuando otro caballo corre atrás de él, se requiere que ellos también corran. Así que se empiezan a preparar. Estabas sentada en tu caballo y lo controlaste y él no salió corriendo. ¿Te das cuenta que eso no es algo incorrecto? ¿Eso es ser brillantemente hábil? Porque la mayoría de los caballos intentarán correr porque los otros caballos están corriendo. Tú no lo dejaste correr. Lo mantuviste bajo control." Hiciste un trabajo fantástico y después te sentías aturdida y sentías que no estabas bien, así que te bajaste.

Hablar contigo hoy y verte montar, podía sentir tu aceleración de cabalgar como si pudiera repetirse algo similar. Pero lo que yo quería que vieras es que habías hecho un trabajo maravilloso con el animal. El asunto con las personas de caballos es que rara vez te dicen que hiciste un buen trabajo. Y es como, tú sabes, me encantan los caballos, pero no me gustan tanto las personas del mundo de los caballos porque la mayoría de ellos no te dirán nada de lo que hiciste bien, te dicen sólo lo que hiciste mal. Y yo te dije "Lo que tienes que entender es que fue realmente fantástico." Y te sentaste ahí, y te aferraste a él. No te ibas a caer. No iba a pasar nada. Y este muchacho te quiere tanto que él cuidará de ti. Cuando lo montas, le pides que cuide de ti y siempre lo hace.

Estoy tan agradecida que hayas hablado conmigo al respecto. Y me di cuenta de qué tan a menudo no nos impulsamos a nosotros mismos hacia adelante; no demandamos más de nosotros. En lugar de ello, nos bajamos del caballo y decimos "está bien."

Te bajas de tu negocio.

Te bajas de tu negocio. Dejas de crear dinero. ¿Por qué? ¿Perdiste dinero? ¿Algo pasó y estás en números rojos, estás en números negativos? Es como ¿y qué importa? ¿Qué tal si ahora fuera el momento de cambiarlo?

Me reporté en bancarrota cuatro veces y lo odié. Pero decidí "es suficiente." Y el verdadero momento de cambio en mi vida con mi situación monetaria fue cuando tenía 55 años y tuve que pedirle prestado dinero a mi mamá para evitar perder mi casa. Y antes de eso había dejado que mis esposas se encargaran del dinero y dije "Suficiente. Nunca volveré a pedirle dinero prestado a mi madre. Esto es ridículo. Soy demasiado viejo para que esto sea una realidad." Y me puse a trabajar y empecé a generar dinero, y he seguido generando dinero desde entonces. Y ha sido fenomenal. Y es que no voy a esperar. Siempre voy a crear. Estaba esperando por mis esposas y estaba esperando por mis parejas y estaba esperando que todos aportaran algo. Ahora no espero a nadie. Salgo y hago el trabajo ahora por mí. Porque me honro a mí mismo. Necesitas honrarte porque ¿adivina qué? Cuando lo haces bien, no busques lo que hiciste mal, sino lo que hiciste bien. Siempre pregunta "¿Qué está bien de mí y qué está bien de esto que no estoy viendo?" y cambiarás tu vida. No es tan difícil.

Incluso cuando yo (Simone) tenía deuda, creaba y nunca hubieras podido pensar que no tenía dinero. Y ahora que tengo dinero, es una energía muy, muy diferente. Puedes hablar más acerca de la energía que cambió para ti cuando realmente tuviste dinero, y tienes dinero, y qué es lo que esto crea para ti? ¿Y para el planeta?

Si. Me encanta estar aquí en Costa Rica. Y tengo caballos aquí y he comprado caballos aquí. Llegó al punto donde me di cuenta que cada vez que estaba interesado en un caballo, se duplicaba su costo. Era doblemente caro si me gustaba. Así que seguía intentando que otras personas compraran en mi lugar, pero nunca funcionó. Una de las personas, Claudia, que hace muchas cosas para nosotros con la comunidad Hispana me dijo "¿Te das cuenta que eres rico?" Y yo le respondí "No soy rico." Ella me dijo "Eres rico." Y le dije "¡No soy rico!" No tengo millones de dólares en el banco. "Eres rico." Y lo vi y dije "Ah, he ganado mucho dinero, eso me hace rico a los ojos de otras personas." Es como la mujer que tenía $47,000 y yo tenía $5 por día. Su idea de riqueza y la mía eran diferentes. No equivocadas. Sólo diferentes. Así que tienes que preguntar. "¿Qué puedo cambiar aquí? Y si puedo cambiar esto ¿cómo creo mi vida de forma diferente?"

Gracias por esa pregunta. Tenemos un minuto más ¿Hay algo más que quisieras decirle a las personas que están afuera en el mundo?

Vayan afuera y pónganse a crear. No esperen.

Si te aferras a tu dinero suficientemente fuerte, lo perderás. Es una garantía de perderlo. No te puedes aferrar al dinero, solamente puedes crear con él. El dinero es una fuerza generativa en el mundo, no una fuerza continua en el mundo.

ENTREVISTA CON EL DR. DAIN HEER

Tomado del programa de radio por internet del Gozo de los Negocios "Salir de la deuda gozosamente con Christopher Hughes" transmitido el 12 de Septiembre de 2016.

Así que la idea aquí es que quiero que las personas realmente vean que esta no soy solo yo, Simone, que ha estado en deuda y he usado las herramientas de Access Consciousness y he cambiado cosas. Hay muchas personas que han cambiado su punto de vista respecto al dinero y han cambiado su situación con el dinero, incluido tú Dain.

Tengo que decirte, desde la primera vez que te conocí, tenerte a ti como coordinadora mundial de Access Consciousness y yo convertirme en el co-fundador de Access, ha sido interesante para mí que tú disfrutes lo que estás haciendo. Crecí en un negocio familiar y ellos lo odiaban, odiaban los negocios. Realmente odiaban el dinero, excepto por mi abuelo que creó el negocio. Salí de esa experiencia con unos muy extraños y fijos puntos de vista.

Con lo que quería empezar era justamente con eso de lo que estás hablando. ¿Cómo creciste respecto al dinero? ¿Eras rico, pobre? ¿Cuál era tu situación respecto al dinero mientras crecías?

La mayoría de mi infancia, los años formativos, hasta los 10 años, vivía en el gueto con mi madre. Cuando digo gueto, digámoslo así, la cantidad de dinero era así: nuestro baño se rompió en algún momento y tuvimos que esperar casi un mes para poder hablarle a un plomero porque no podíamos pagarlo, y no les voy a decir lo que tuvimos que hacer mientras tanto. Simplemente digamos que vaciábamos lo que tendríamos que haber tirado en el baño, en el patio trasero, cada mañana. Hey, era como regresar a la época antigua. Quizá era como nuestro castillo ¡No lo sé! Así que había eso y después, por el otro lado tenía familia que sí tenía dinero, que era abundante, pero nunca contribuían. Nunca me daban dinero a mí o a mi mamá para hacer más fáciles nuestras vidas. Así que estableció puntos de vista muy raros respecto al dinero.

¿Tenías educación respecto al dinero? ¿Tenías algo? ¿Tenías permitido hablar de ello?

De hecho empecé a trabajar desde que tenía 11 años. Trabajaba en el negocio de mi abuelo y trabajé en la bodega, y fue como ¿qué podía hacer un niño de 11 años? ¡Todo! Es decir, organizaba el lugar. Ayudaba a limpiar. Hacía todo lo que se requería. Fue una gran y maravillosa experiencia, lo que pasó es que trabajé todo el verano, y generé varios cientos de dólares. Y estaba tan emocionado que lo traía conmigo a todas partes. Lo tenía en mi mochila. Fuimos al río donde mi familia, mi padre y mi madrastra, solían ir a vacacionar y mi madrastra lo vió ahí. Vió estos miles de dólares porque cobraba mis cheques y me quedaba con el efectivo y era como "¡Eso es fantástico!" No lo gastaba, porque me encantaba tener dinero. Y ella metió la mano a la mochila, lo tomó y dijo "Un niño así de pequeño no tendría que tener dinero." Yo tenía 11 o 12 en ese momento, y eso atrofió mi voluntad de tener dinero a partir de ese momento. Es decir, obviamente he cambiado desde entonces, gracias a Dios.

Pero realmente se creó este lugar en mi mundo en donde estaba muy conflictuado y confundido acerca del dinero; como si no tuviera que tenerlo. Como si fuera algo malo. Y fue uno de esos momentos de definición en mi vida en donde el dinero se volvió esta cosa muy rara. Mientras que antes era fácil. Era como "Sí, voy a trabajar." Y literalmente, estaba trabajando, no le digan a nadie pero probablemente estaba trabajando 30 horas a la semana y tenía 11 años. Era mi abuelo, así que era aceptable y todo eso. Pero existía mucha confusión en mi mundo respecto al dinero. Y después cuando entré a la adolescencia, mi familia que tenía dinero y que tenía el negocio familiar, el negocio fracasó porque ellos no estaban dispuesto a ver el futuro y elegir de acuerdo a crear el futuro.

Mi abuelo que había creado que había creado el negocio se retiró. Y también se estaba cansando de apoyar a mi tío y a mi padre, que básicamente pensaban que tenían derecho a cualquier dinero que él tenía. Así que el negocio fracasó, literalmente. Y es interesante porque los dos lados de mi familia, la pobre que básicamente creció en remolques en diferentes partes del mundo, y la "rica", fue definida por el dinero. Y cuando el negocio de mi abuelo falló, y el dinero se perdió ¡Oh por Dios! Ese fue el mayor trauma y drama que pudieran imaginar. ¡Y duró años! El hecho de que perdieran todo su dinero y que no podían crear más dinero, y que no podían crear el negocio que querían... Hablando de confusión total.

¿Puedes hablar un poco acerca de la confusión? Todavía noto, no importa lo que te haya confundido, todavía pudiste crear tu propia realidad respecto al dinero.

Creo que muchos de nosotros ahí, tenemos nuestra propia realidad respecto al dinero que es diferente al de nuestra familia, que es diferente a aquello con lo que fuimos criados, que es diferente al de nuestro novio o novia y de nuestro esposo o esposa, y de las personas con la que crecimos, y de nuestros amigos. Pero nunca tomamos un momento para reconocer eso. Y el hecho de reconocer esa diferencia pero también su grandeza. Y eso para mí, es enorme. Siempre estuve dispuesto a hacer todo lo que se requiriera para crear lo que yo quería. Estaba dispuesto a trabajar tan duro como fuera posible, o cuanto fuera necesario. Y en ello, finalmente encontré... y tú y yo hemos estado juntos en este viaje, y sé que tú has visto muchos de los lugares en donde mis caminos se intensificaron para crear limitación... pero es interesante ver cómo yo estoy entrando en mi propia realidad respecto al dinero y las finanzas y de hecho empezar a mover las cosas hacia delante de una forma muy dinámica.

¿Puedes darnos un ejemplo de crear la limitación y como lo cambiaste para crear tu propia realidad respecto al dinero?

Entonces, la parte de mi familia que nunca tuvo dinero, en cualquier momento en que generaban algo, ellos lo perdían, lo despilfarraban. Por ejemplo, invertían con algún tipo que decía "Tengo esta máquina que va a crear energía gratis. Dénme $10,000" y era como "Bueno, tengo $5. Déjame juntar a toda mi familia y que me den de sus ahorros" y ellos encontraban formas de deshacerse del poco dinero que tenían.

Yo funcionaba de una forma muy diferente. Me gustaba tener dinero y ahorraba. Guardaba el 10% y con en la mayor medida de lo posible, siempre me aseguraba de tener dinero. Pero todo lo que mi familia estaba eligiendo sí limitaba mi creatividad muy dinámicamente. Limitaba mi voluntad de saltar de un precipicio cuando había una posibilidad.

Yo funcionaba así en Access hasta muy recientemente. Así que una de las cosas que le quiero decir a las personas es que el caos y el orden existen. Ninguno de los dos está mal. Ten la voluntad de abrazar el potencial del caos y las posibilidades caóticas que pueden ser elegidas con el dinero y deja de tratar de ejercer tanto control en todo.

Y una cosa que he notado es que estás dispuesto a hacer cualquier cosa por generar dinero.

Sí. Más vale intentarlo ¿sabes? Lo peor que puede pasar es que fracases, pierdas todo tu dinero o que la situación no despegue. Y hemos intentado miles de cosas en los últimos 16 años. Especialmente con Access, porque es tan diferente a lo convencional que tienes que intentar tantas cosas como puedas porque lo convencional no funciona para nosotros. Lo cual es un regalo maravilloso.

Recordé a Richard Branson. El veía las cosas y decía "Bueno, aquí está lo convencional, y aquí a este otro lugar es a donde yo iré." Y ve lo que él ha creado. Él ha creado olas en el mundo de cada industria a la que ha elegido entrar; o por lo menos de las que yo he escuchado. Hay probablemente cientos en las que ha intentado entrar y que no funcionó y él dice "Ok. A lo que sigue." Y pienso que esa es una de las grandes cosas que necesitan entender, "Ok, si esto no funciona, algo más funcionará." No te rindas. Nunca te detengas. Nunca renuncies. Nunca cedas. Y nunca te permitas ser detenido por nadie. Y lo que es tan vital y esencial es que tú empieces a ver *tu* propia realidad con el dinero. Y para mí, una de las cosas que me di cuenta es que cuando cambié la palabra "dinero" a "efectivo", en algún lugar de mi mundo, eso hizo más sentido. Y muchas personas hablan acerca del dinero pero no tienen idea de que diantres es. Y para mi, empecé a ver "Ok, en lugar de dinero, voy a empezar a pedir tener efectivo. Voy a empezar a pedir crear efectivo." Ahora, ¿se presenta en billetes de dólares y eso? No. No necesariamente. Pero cuando lo puse en términos de "efectivo" para mi es algo más tangible; no son sólo puntos de luz en la pantalla de una computadora y no es un concepto malvado que me compré a una edad muy temprana, así que me da una posibilidad diferente. Y para mi, eso se siente mucho más creativo.

Uno de mis refranes favoritos, que continuamente cito, Dain, es cuando dijiste "El dinero sigue al gozo, el gozo no sigue al dinero." Así que ¿puedes hablar un poco más acerca de eso y de cómo llegaste a reconocer esto?

Ni siquiera me acuerdo de en dónde lo vi. Si me acuerdo estar en un automóvil con cuatro de mis pobres miembros familiares, y estábamos manejando en un automóvil que realmente necesitaba mantenimiento pero nadie podía pagar por ello, e íbamos detrás de alguien que manejaba un Mercedes; un Mercedes convertible. Vi ese automóvil y fue tan cómico porque en ese momento lo vi, y en mi mente dije "Eso es fantástico. No puedo esperar a tener uno de esos algún día." Probablemente era un joven adolescente en ese momento y me giré con uno de los miembros de mi familia y le dije "Ese automóvil es fantástico. Una de mis tías rápidamente dijo, "Dain. Esas personas ricas no son felices." Y me giré para ver a la familia con la cuál estaba viviendo y vi que tan infelices eran y pensé "Um... No puede ser mucho peor que esto..."

De lo que empecé a darme cuenta es que, en mi propia vida, estaban los días en los que estaba deprimido e infeliz y no me quería ni levantar, no entraba dinero. Lo reconocí cuando era quiropráctico. Si estaba deprimido o infeliz, si no tenía la energía de la vida y vivir y el entusiasmo de estar vivo, que por cierto, fue la principal razón por la que me convertí en quiropráctico, quería traer esta energía a las personas. Y, si no tenía eso, notaba que nadie venía a que lo atendiera. La gente decía "¿Por qué querría tener lo que tú tienes?" ¿Cierto? Y entonces, me empecé a dar cuenta de que realmente el dinero sigue al gozo. Entre más feliz estás, más dinero vas a tener.

Es interesante porque todos conocemos a muchas personas que tienen mucho dinero que son tan infelices. Veo eso y en este momento soy tan grandemente bendecido. Prácticamente siempre viajo en clase ejecutiva y cuando tengo suficiente suerte, primera clase, a donde sea que vaya porque eso es gozoso para mí. Y lo que he notado es que cuando lo hice por el dinero, cuando no había una facilidad para pagarlo, de todas maneras lo hacía, porque me daba tanto gozo. *Sabía* que me traería más dinero; lo podía sentir. Y pienso que todos podemos y creo que todos lo hemos cortado desde que éramos pequeños. Pero una de las cosas que he notado es…. si estás ahí y te estás peleando con el dinero, o simplemente no tienes tanto como deseas, quizá uno de los elementos que hace falta es el gozo en tu vida; y quizá uno de los elementos que falta es el gozo que tienes con el dinero y con el efectivo, como lo platicamos anteriormente.

Una de las cosas de las que me di cuenta al viajar en clase ejecutiva es de cuántas personas estaban enojadas, estaban molestas, eran totalmente arrogantes o imbéciles, pretendiendo que todos tendrían que besarles la mano porque tenían dinero. No estaban siendo felices. No estaban siendo atentas con la azafata. No estaban siendo agradecidas por el hecho de que recibían tragos gratis. Y vi eso y dije ¿Cómo es que eso existe? Estas personas tienen lo que se supone que todos quieren tener. Piensan que tienen lo que se supone que todos desean, lo cuál es el dinero, pero no tienen nada del gozo que va con ello. Y es interesante porque he visto a tantas personas como esas que simplemente no lo entienden... es decir, lo entiendo, porque lo he visto tantas veces y entiendo que es parte de cómo funciona el mundo. Pero en realidad, para mí, el dinero se trata de dinero. Me encanta lo que Gary Douglas dijo en una de las primeras clases que hice con él. Él dijo, "Mira, el propósito del dinero es cambiar la realidad de las personas por algo más grandioso." y dije entonces "Eso es genial. Finalmente tengo a alguien que tiene un punto de vista similar."

¿Puedes hablar más acerca de cambiar la realidad de las personas con el dinero? ¿Cómo se ve eso?

Siempre intentaba hacer eso, incluso cuando era un niño pequeño ¿sabes? Cuando era un niño y tenía dinero en mi bolsillo y había alguien pidiendo limosna en la calle, y si no lo estaban haciendo, si no parecía que lo estaban haciendo para llenarse los bolsillos; si realmente tenían una necesidad en su mundo, yo llegaba y les decía "Aquí tienes 10 dólares," y esta era una época en la que 10 dólares era como un billón. Sabes, en esa época; ¡en la vieja época! Cuando 10 dólares realmente representaba algo. Y se lo daba a ellos porque mi sensación era "Ten, quizá cambie tu mundo. No lo sé." Y lo cómico es que cada vez que hacía algo así y les daba $10, por lo menos recibía $10 más de regreso.

Recuerdo que en una ocasión, estaba caminando por la calle, y había ahorrado todo este dinero y tenía como 20 dólares, iba de camino a la tienda a comprar unos dulces que yo quería, y había este juguete que quería y había como 25 cosas que iba a comprar con 20 dólares. ¡Dios! ¿Te acuerdas de esos días? De cualquier forma, aquí estaba y llegó este hombre y podía sentir la necesidad en su mundo y me dijo "Oye chico. ¿Tienes dinero?" Y todavía ni siquiera era adolescente. Y le dije "Aja." Y sonrío de oreja a oreja y le dije "claro, aquí tienes." Y fue como ok, supongo que no voy a comprar mis dulces y mis juguetes en este momento. Así que empecé a caminar de regreso a casa. Literalmente doy la vuelta a la cuadra y había $20 dólares en el piso. Y pensé "Wow. Esto es fantástico." Así que, el asunto de lo que te da el gozo es la sensación de magia de vivir y estar vivo. Realmente se puede presentar así, y la mayoría de nosotros lo hemos olvidado, si lo tuvimos cuando éramos niños pequeños. Pero si puedes regresar a eso, el dinero llega de los lugares más extraños.

Y esto es lo que creo que es tan vital entender, no es acerca del dinero que tienes. Es acerca del gozo de hacer lo que sea hagas. Y eso es lo mismo para mí. Tenía 20 dólares. Regalé mis 20 dólares ¿sabes?

Hay tal generosidad de espíritu en ello. ¿Puedes decir más acerca de la generosidad de espíritu y lo que eso crea?

Es interesante porque cuando conocí por primera vez a Gary Douglas, era como que él no tenía mucho dinero. Íbamos a algún lado a hacer algo y uno hubiera pensado que era millonario por la generosidad de espíritu que él tenía. Y este es el asunto… la generosidad de espíritu lo puedes tener con el dinero y con el efectivo y con el regalar. Y también, la forma en la que eres en el mundo es otra forma en la que puedes traer dinero y efectivo para ti. Porque lo que pasa es que cuando tienes generosidad de espíritu es que estás abierto a dar, y eso es lo que no nos damos cuenta, el dar y el recibir ocurre simultáneamente. La mayoría de nosotros lo hemos tratado de excluir. Tratamos de colocarlo en 'regalar' y 'recibir' o 'dar' y 'recibir'. O lo que la mayoría de nosotros tenemos como punto de vista es 'dar' y 'tomar'. Y entiendo que así sea la forma en la que funciona el mundo, pero no es la forma en la que tienes que funcionar.

Así que tú, yo, prácticamente el equipo entero de Access, tenemos esto que es la generosidad de espíritu, que nos trae gozo el darle algo a alguien más. Nos regala el gozo de ver que alguien porta algo maravilloso que voltean a ver y dicen "Caray cariño. ¡Te ves impresionante hoy!" Hombre o mujer; no importa. Pero lo que eso hace es, que crea la energía de recibir del universo mismo. Y cuando digo universo, no me refiero 'al universo' etéreo. A lo que me refiero es a que todos somos parte del mismo increíble universo ¿Sabes? Y entonces, no es sólo el universo que te da efectivo. Viene a través de otras personas y de otros lugares y crea una energía donde el flujo pueden ocurrir por la simultaneidad de dar y recibir. Realmente no es un mundo de dar y tomar; solamente lo hemos creado de esa forma.

Hablas acerca de cómo tuviste dos familias diferentes; una que no tenía dinero y una que si tenía dinero. La energía de las dos es diferente. ¿Cuál es la diferencia que tú notaste?

Básicamente, lo que era para mí, la familia que no tenía dinero tenía este orgullo de pobreza, y veo que muchas personas tienen eso.

El orgullo en la pobreza es una de las principales cosas que veo en las personas que rechazan el dinero continuamente. Es como "No sabes por lo que he pasado. No sabes cómo tengo que sufrir." Y es como, no tienes que mantener esa mierda en su lugar. ¿Cuál es el valor de eso? Sólo porque tu familia lo hizo, no quiere decir que tú también tengas que hacerlo.

Ahora, con la parte de la familia que tenía dinero, ellos también sufrían; solamente tenían un estilo de vida más lindo. Excepto por mi abuelo. En primer lugar él fue quien creó el negocio, el que creó grandes cantidades de efectivo y dinero que mi papá, mi tío, mi abuela y el resto de la familia después gastaron y lo disminuyeron a nada. El reconocimiento de eso cambió mi mundo porque él tenía generosidad de espíritu y estaba dispuesto a regalar continuamente y siempre obtenía más.

¿Puedes decirme un poco más acerca de tu abuelo? ¿Cómo era el negocio y como era él con eso?

Mi abuelo tenía una generosidad de espíritu inherente. Y, al ir creciendo, un día le entregué mi tarjeta de calificaciones y dijo "Ok" y me dio $600. Esto fue cuando yo estaba en el bachillerato. Y tenía estos ojos grandes porque me gusta el efectivo ¿cierto? Me encanta el dinero. Y pensé, esto es genial. Esto es maravilloso. Y abrí los ojos grandes y pregunté "¿Para qué es eso?" Y él me dijo "Por todos los 10 que sacaste." Había sacado 6 de 6 dieces. Y le dije "¿En serio?" Él dijo "Sí. Cada vez que saques un diez te daré $100 dólares y por todos los nueves te daré $50." ¿Adivina quién sacó sólo dieces durante todo el bachillerato?

Y ¿sabes? es tan interesante. Algunas veces no te das cuenta de lo que te afecta en la vida hasta que alguien te pide que platiques la historia. Está pasando justo ahora. Estoy viendo muchas cosas que me estoy dando cuenta que mucho de la realidad financiera que puedo tener ahora es por lo que vi que él era, que nadie en mi familia reconoció y que nadie reconoció como una grandeza. Realmente tenía una grandeza en esta área. Así que, esa cosa, esa generosidad de espíritu fue maravillosa para mí, pero también la disposición de regalar efectivo, de dar dinero y no era regalarlo para no hacer algo útil. Él sabía cuando cambiaría la realidad de una persona. Él tenía el mismo punto de vista que Gary tiene.

Lo que él hizo con ese primer reporte de calificaciones en el bachillerato, fue mostrarme algo por lo cual estuve dispuesto a trabajar y elegí sacar básicamente sólo dieces. Probablemente saqué dos nueves en bachillerato. Pero todo lo demás, básicamente fueron muy buenas calificaciones. Y esa fue parte de la motivación, pero yo no lo estaba haciendo sólo por el dinero. Lo estaba haciendo porque alguien estaba reconociéndome con este regalo y me estaba viendo a mí, y estaba viendo que tenía valor. Cuando traía conmigo mi reporte de calificaciones con mi padre o mi madrastra lo veían y decían "Ah bien. La firmaré para comprobar que la he visto" y no había energía. Ningún "Wow Dain, buen trabajo. Nunca podríamos hacer esto." Así que lo que hizo mi abuelo fue hacerme buscar más, y de nuevo, esa es una de las cosas que podemos hacer con nuestro dinero, contribuir a las personas para que alcancen algo más.

¿Hay algunos momentos determinantes en donde tuviste la consciencia de lo que la energía alrededor del dinero puede crear o no crear?

Es interesante, porque el negocio familiar de mi abuelo, él lo llamó Robotronics, y las personas llamaban y decían ¿Tienen robots?" Y él respondía "No, realmente no hacemos eso." Vendían máquinas de oficina renovadas. Pero él vió una necesidad que podía cubrir desde muy joven, creó este negocio cuando nadie más tenía un negocio similar, tenía todo tipo de clientes grandes, bancos grandes, grandes instituciones en la época en la que usaban máquinas de escribir y copiadoras y ese tipo de cosas. Bueno, al ir evolucionando las cosas hacia la época de las computadoras, él quiso entrar en ese negocio y mi tío y mi papá, que más o menos tenían interés en el negocio en ese tiempo, dijeron "No. No podemos hacer esto." Blah, blah, blah. No estaban dispuesto a ver el futuro. Esa es otra cosa que mi abuelo tenía. Él estaba dispuesto a ver el futuro, y ver qué elecciones podrían crear tanto su negocio como su vida personal y hacer lo que él pudiera para crear el resultado más grandioso.

Y veo muchas personas que, número uno, no se dan cuenta que tienen esa capacidad, y creo que mucho de eso es porque están atoradas en la realidad financiera de su familia. Pero lo otro es que, en algún momento, mi tío empezó a crear un negocio parecido a Kinkos, que por lo menos está en Estados Unidos, y sé que en muchos otros lugares el mundo. Kinkos es básicamente un centro único de servicios para oficina oficina, si necesitas rentar un espacio, si necesitas una copiadora, si necesitas sacar copias, si necesitas imprimir trípticos, blah, blah, blah. Mi tío creó eso 15 años antes de que Kinkos llegara, pero estaba tan comprometido con no tener dinero y tan comprometido en destruirse a sí mismo, comprobando que él tenía razón en sus puntos de vista fijos, que fracasó. Ahora, podrías decir que se adelantó a su tiempo. Y sí fue así. Pero también, si hubiera tenido el ímpetu que mi abuelo tenía, ahora estarías hablando con un multimillonario, porque creó un concepto antes que nadie más en el mundo.

Así que muchas personas se quedan atoradas en el punto de vista de la familia. Para ti ¿tú te lo compraste? ¿Creaste tu propia realidad? ¿Las personas cómo pueden salirse de en lo que están atorados con el punto de vista de su familia?

Viendo todas estas cosas financieramente, veo de donde vinieron muchos puntos de vista, tanto buenos como malos, tanto costosos como limitados, pero después lo otro que es realmente imperativo, es ir más allá de ello. Tenía esto del lado paterno de mi familia. Tenía esta locura aquí respecto a la pobreza. Tenía esta locura con la falta de voluntad de tener dinero, cuando tenían dinero, y lo estaban perdiendo y destruyendo, pero ¿sabes qué? ¿Qué me gustaría crear hoy?" Sí, tengo todo esto, y lo que le sugeriría a las personas es que realmente regresen y escriban toda la grandeza que has aprendido de las personas alrededor de ti de cuando estabas creciendo, respecto al dinero.

¿Qué toma de consciencia tuviste y que nunca has usado; que nunca has reconocido que estaba ahí? Y también ¿Cuáles eran las limitaciones? Y revisa esa lista completa, hazlo 10 veces, 20 veces, 30 veces, hasta que lo veas y notes que ya no tiene ninguna carga. Porque lo que se requiere realmente no sólo es voltear a ver el pasado y revivirlo y decir "Bueno, por esto es que tengo este punto de vista. Ok, bien. Ahora voy a quedarme con ese punto de vista un tiempo más," es reconocer que ese punto de vista es una limitación: "Wow. Eso es genial. Ahora por lo menos sé en parte la razón por la que tengo ese punto de vista. Ahora voy a ir más allá."

Y odio decirlo pero, mi punto de vista de estos puntos de vista y de nuestras limitaciones del pasado es "¿Sabes qué? ¡A la mierda con eso!" Si, viví eso. Experimenté un abuso horrendo cuando crecí; físico, emocional, mental y prácticamente todos a mi alrededor me odiaban, por mucho tiempo. Saben, mi madrastra y la familia con la que vivía en el gueto con mi madre, ok, está bien. Grandioso. Viví eso. ¿Ahora qué? ¿Ahora qué es lo que quiero crear con mi vida hoy? Tengo estos 10 segundos para vivir por el resto de mi vida ¿Qué voy a elegir a partir de aquí? No es "tengo esto y tengo que cargar con ello por siempre" es "Aquí está. ¿Ahora qué puedo hacer para ir más allá de ello?"

Hay algunas otras herramientas pragmáticas que pudieras darle a las personas que están diciendo "Si, si, si. Él hizo eso. Ella hizo eso. ¿Pero qué hay de mí? ¿Hay algo más que puedas agregar a eso para iluminar a las personas, a empoderarlos para que elijan algo diferente respecto al dinero, respecto a su vida?

Ciertamente. Y lo digo con toda seriedad cuando digo esto: ¡Compren el nuevo libro de Simone! Y lo que yo sugeriría es, escribe esta pregunta "¿Qué de mi pasado es lo que más me atasca respecto al dinero y el efectivo? Y escribe una novela completa si es que fuera necesario. Y después quema la maldita cosa. ¿Ok? Ese fue tu pasado. Y hay otras cosas que me gustaría ver y quizá escríbelo, si estás dispuesto, pero lo que quieres ver es "¿Cuál es el regalo que eso me dio?" Verás, lo seguimos viendo como si fuera una maldición. No es así.

Yo tengo una consciencia inherente de cómo funcionan las personas que tienen muy poco dinero. Tengo una consciencia inherente de sus inseguridades y de sus deseos y de la sensación que tienen de que no pueden hacerlo. Bueno ¿Cuál es mi trabajo en el mundo? Facilitar que las personas se salgan de esa mierda. Así que, esa consciencia inherente que tengo, no se si yo pudiera hacer lo que hago sin el abuso que experimenté. Probablemente sí, pero no en la forma en la que lo hago. No en la forma que realmente funciona para mi, y en la forma intensa que a veces es. Y también, con las cuestiones financieras, es como, dado la experimenté, llegué a un lugar desde el cuál pude hablar que me permite hacer lo que vine a hacer en el mundo. Y lo que he visto con cientos de miles de personas que han llegado a Access en el tiempo en el que ambos hemos estado aquí, es que todos están haciendo algo aquí. Todos tienen algo en que su vida les ha contribuido a que ellos estén aquí y siendo aquí. Una vez que empiezas a encontrar el camino, o el destello de ese regalo, entonces las cosas empiezan a cambiar dramáticamente, porque tú sales del juicio de lo experimentaste, y empiezas a verlo y es "Wow." Y después otra pregunta es: "¿Cómo puedo usar esto para crear más dinero y efectivo?"

Así que realmente estás usando tu infancia, la forma en la que creciste, usando la cultura, la familia, todo eso para tu ventaja.

Exacto. Y usando cualquiera otra herramienta que tengas. Si quieres escribir un par de cosas más, quizá quieras escribir "¿Qué otras herramientas y regalos tengo que me permitirán crear mucho dinero, más dinero y más efectivo de lo que jamás pensé que podría? Y escribe lo que sea que te llegue.

También está una parte de no tomarte tan en serio. Sabes, hacemos tanto eso y de lo que estabas hablando al principio del programa, acerca de la ligereza y hacerlo desde el gozo, y tú tienes el Gozo de los Negocios como uno de tus negocios, y también el libro, y cuando escuché al respecto, cuando vi cómo estabas haciendo negocios desde un espacio de gozo, era exactamente eso. No tomarte tan en serio. Teniendo mucha más diversión. Haz lo que es divertido y no tomarte tan malditamente en serio y realmente empezarás a crear más dinero de lo que has pensado posible.

Las personas te ven ahora y eres exitoso, tienes dinero, eres conocido alrededor del mundo. Pero no es ahí donde empezaste. ¿Cómo viste el crear tu futuro y cuál era la energía que estabas siendo, que tuviste que ser? ¿Qué elegiste cuando decidiste empezar a cobrar más para ti, a empezar a recibir más dinero en tu vida para lo que en verdad haces y eres?

Cuando empecé, estaba cobrando $25 dólares por sesión quiropráctica, la mayoría de las personas que estaba recibiendo lo que estaba dispuesta a pagar eran 25 dólares, que era como pagar por ir al cine.

Y era como "Oh, eso fue algo entretenido. Muchas gracias," y se iban. Y después vino Gary Douglas, que entró a mi oficina y dijo "Esto literalmente salvó mi vida." Y yo dije "¿En serio? ¿Yo?" Dado que mi nivel de inseguridad superaba todos los límites. ¡Ha sido un proceso en los últimos 16 años! Y lo que las personas no se dan cuenta es que ven a alguien con cierto nivel de éxito o que tiene un nivel de abundancia, o que tienen un nivel de cualquier cosa que piensan que desean, y no se dan cuenta cuánto tiempo les tomó llegar ahí. No se dan cuenta de cuántos errores cometieron. No se dan cuenta cuántas inseguridades tuvieron que superar.

Así que lo que quiero decir es, en donde sea que estés ahora, empieza. Y obtén la sensación de, si pudieras poner la energía frente a ti de cómo sería el generar tres o cuatro veces lo que estás generando ahora, percibe la energía de ello. Y percibe la energía de lo que sería viajar por el mundo, si es lo que quisieras. O por lo menos tener el dinero para viajar. Percibe la energía de cómo sería eso, no sólo para pagar las cuentas pero tener un nivel de riqueza y abundancia financiera que te guste y dinero extra en el banco o debajo de tu colchón o donde sea que lo guardes en tu casa.

Y también percibe cómo sería el hacer algo que en verdad le contribuyera a las personas y que cambiara todo el tiempo, en donde fueras a trabajar con personas divertidas y estuvieras disfrutando de tu vida y estilo de vida. Y obtén la sensación de esa energía y jala energía desde todo el universo y envía pequeños hilillos hacia afuera, hacia todos y todo lo que va a ayudar a que eso se haga realidad para ti y que aún no lo sabes. Sabes, ese es un ejercicio que escribí en el libro Siendo Tú Cambiando el Mundo. Y, realmente es acerca de ser tú. ¿Cómo sería esa energía exclusivamente tuya que permitiría que todo esto se diera? Y después, dirígete hacia cualquier cosa que se sienta parecida a eso. Y las personas no se dan cuenta que hay algo que realmente los va a guiar, que es la consciencia, la conexión con todo lo que es, si lo quieres poner así. Y lo que es muy cómico, los hombres de negocio exitosos parece que hacen esto de forma natural. Y muchos de ellos le tiran mierda a las cosas energéticas. Y yo les digo "Si, pero eso es lo que estás haciendo energéticamente." Y ellos responden "Si, si, si. No. No. No digas la palabra 'energía'. Muchas gracias."

Pero si puedes tener la sensación de eso, empieza a crear el tener la voluntad de ir hacia el futuro. Así que fluyes energía hacia eso, desde todo el universo, hasta que se vuelve muy grande, y pídele al universo que te contribuya. Y aquí está el asunto. Escucho a muchas personas decir 'universo' como si fuera algo que está afuera de ellos. ¡Tú eres parte del universo! Así que reconoce que eres tú pidiendo algo basado en algo a lo que tú estás conectado, y después envía pequeños hilos hacia todos y todo lo que va a hacer que eso sea una realidad para ti. Y al hacerlo, lo que empiezas a hacer es crear el futuro energético que quisieras tener, y lo raro y maravilloso de esto es, todas las partes y piezas de cómo sería eso, para empezar a crear esa energía, empiezan a llegar a ti. Pero tienes que estar dispuesto a recibirlos cuando se presenten.

Y aquí es donde nos adentramos a esta cosa de la que hablábamos acerca de cómo seguía intentando tratar de ordenar a mi familia, así que cuando algo se presentaba que era demasiado "grande" yo decía "Oh no. No puedo hacer eso," en lugar de hacer una pregunta. Y eso es lo siguiente que querrás hacer, cuando algo se presente, no es para que digas "No puedo hacer eso" sino "¿Qué tomaría para que yo hiciera esto?" Y ese es un punto de vista funcional: "¿Qué tomaría para que yo creara esto?" en lugar de estar en ese estado de inseguridad de lo que no puedes hacer y de lo que no puedes crear.

Así que están estos lugares donde tienes estas inseguridades o razones que has creado como verdaderas, o las cosas que has creado que ves como si fueran una equivocación, pero no lo son en realidad. Una cosa que veo en ti Dain, es que continuamente eliges crear de forma más grandiosa, no importa lo que tome.

Si, exacto. Una de las cosas que veo que las personas hacen cuando se presenta una nueva posibilidad es que automáticamente deciden que no pueden hacerlo, incluso antes de que empiecen. Así que este es uno de los lugares en donde tan dinámicamente nos detenemos a nosotros mismos. Y si volteas a ver mi vida, tendría suficientes razones para decir no. Tendría suficientes razones de por qué no tendría que poder hacerlo. Pero, tengo que decirlo, gracias a Access y las herramientas de Access Consciousness, porque éstos son los maravillosos tesoros ocultos para cambiar estas cosas, gracias a eso y gracias a mi cercanía a ti, a mi cercanía con Gary, y mis amigos que realmente me respaldan y que están ahí para mí cuando me de cuenta que tengo una limitación y quiera cambiarlo, gracias a todo eso es como, mi pasado ya no gobierna mi futuro. Y creo que esta es una de las grandes dificultades que las personas tienen; su pasado gobierna su futuro. Una posibilidad más grandiosa se presenta y dicen "No. Eso es demasiado caótico. Es demasiado." Pues ¿Adivina qué? El caos es creación. Y el asunto con el caos, seguimos pensando que el orden es bueno y el caos es malo. La consciencia lo incluye todo y no juzga nada; y es por esto que hacemos Access Consciousness. Lo incluye todo y no juzga nada.

Es decir, si lo observas por un momento, el motor de combustión interno, sabes, lo que da poder a un maldito automóvil, funciona desde el caos. Las explosiones en el motor es lo que hace que funcione tu automóvil. Si trataras de eliminar el caos por completo, tu automóvil ya no se movería. Lo mismo con el automóvil de tu vida. Lo que querrás hacer es tomar el caos y el orden tan bien como puedas para crear una coherencia entre el caos y el orden y que te permita moverte hacia adelante. Y cuando digo esto las personas lo ven y dicen "¿Uh, qué? No lo entiendo..."

Pero esto es lo bello de esto: no tienes que saber cómo funciona. Pero tienes que estar dispuesto a dejar de evitar el caos que se presenta y las cosas que piensas que son demasiado y las cosas que piensas que están fuera de control, porque quizá fuera de control es exactamente lo que requieres para tomar el siguiente paso.

Así que ¿Qué preguntas pueden hacer las personas, por ejemplo si están diciendo "Ah si, si. Este tipo lo puede hacer ¿pero como lo puedo hacer yo?"

Solamente reconócelo, yo no sabía que yo podía hacerlo, no pensaba que podía hacerlo tampoco, pero estaba dispuesto a intentarlo. Y eso es lo que tienes que estar dispuesto a hacer, es a ir por ello. Sabes, lo peor que puede pasar es que no funcione. Y ¿Adivina qué? ¿Cuántas otras cosas has hecho que no han funcionado? Y la otra cosa es que cada una de esas cosas que son nuestras inseguridades y esos lugares en donde decimos no, son lugares donde estamos tratando de ordenar algo de nuestro pasado. Cada una de ellas. Y si vieras eso y dijeras "¿Estoy tratando de ordenar algo aquí?"

Reconoce que al tratar de ordenar tu pasado te está impidiendo crear tu futuro.

¿Qué más quisieras decir antes de terminar la conversación?

Tu punto de vista crea tu realidad, pero la realidad no crea tu punto de vista. Estas herramientas cambian tus puntos de vista y entonces tu realidad se presenta de una forma diferente. No tienes que sufrir con el dinero. Estoy contigo. Todos pueden cambiar su situación económica. Tú lo has hecho. Yo lo he hecho. Y hemos visto a tantas personas que han venido a Access y lo han hecho, pero realmente tienes que estar dispuesto a hacerlo. Tienes que estar dispuesto a hacer el trabajo; no es una píldora mágica ¡pero a veces sí funciona como una varita mágica!

Realmente puedes cambiar tus estrellas. Puedes cambiar todo. ¿Y qué tal si tú, realmente siendo tú, fueras el regalo, el cambio y la posibilidad que este mundo requiere? ¿Estás eligiendo saber eso? Porque tú eres eso.

Lightning Source UK Ltd.
Milton Keynes UK
UKHW010034311218
334776UK00004B/44/P